Is as an Naigín i mBaile Átha Cliath do Ré Ó Laighléis. Ghlac sé bunchéim in Ollscoil na hÉireann Gaillimh (1978) agus iarchéimeanna san Oideachas i gColáiste Phádraig agus Boston College, Massachusetts, áit a bhfuil sé cláraithe mar Shaineolaí Comhairleach sa Léitheoireacht. Ba mhúinteoir é i Scoil Iognáid na Gaillimhe idir 1980–92.

Ó 1992 i leith tá cónaí air sa Bhoireann, Co. an Chláir, áit a bhfuil sé i mbun pinn go lánaimseartha. Tá cáil air as a dhrámaí do dhaoine óga agus tá Craobh na hÉireann sa scoildrámaíocht bronnta air sé uair, chomh maith le Duais Chuimhneacháin Aoidh Uí Ruairc a bheith gnóthaithe aige trí uair. *Aistear Intinne* (Coiscéim, 1996) is teideal dá shainsaothar drámaíochta.

Ach, is mar scríbhneoir úrscéalta agus gearrscéalta, idir Ghaeilge agus Bhéarla, is fearr atá aithne ar an Laighléiseach. Tá saothair leis foilsithe i nGaeilge, Béarla agus Fraincis agus go leor dá chuid aistrithe go hIodáilis, Gearmáinis, Gaeilge na hAlban, Danmhairgis agus eile. Scríobhann sé don déagóir agus don léitheoir fásta araon agus tá iliomad duaiseanna Oireachtais gnóthaithe aige sna genres éagsúla. Bronnadh Duais Chreidiúna an Bisto Book of the Year Awards ar shaothair leis faoi dhó. Ghnóthaigh sé NAMLLA Award Mheiriceá Thuaidh i 1995 agus bronnadh an European White Ravens Literary Award air i 1997. Ainmníodh saothair leis dhá uair do Dhuaiseanna Liteartha *The Irish Times*. I 1998 bhronn Uachtarán na hÉireann, Máire Mhic Giolla Íosa gradam An Peann faoi Bhláth air. Ba é Scríbhneoir Cónaitheach Chomhairle Chontae Mhaigh Eo i 1999 agus ceapadh é ina Scríbhneoir Cónaitheach d'Ollscoil na hÉireann, Gaillimh i 2001.

I 1998 ainmníodh an leagan Gaeilge dá úrscéal *Hooked* (MÓINÍN), mar atá *Gafa* (Comhar, 1996; athfhoilsithe ag MÓINÍN 2004) ar Churaclam Sinsearach Thuaisceart na hÉireann agus ar Churaclam na hArdteiste ó dheas.

Tugann an Laighléiseach cuairteanna ar scoileanna faoi Scéim na Scríbhneoirí sna Scoileanna. Bhí sé mar chnuasaitheoir agus eagarthóir ar *Shooting from the Lip* (Comhairle Chontae Mhaigh Eo, 2001), arbh iad déagóirí as scoileanna éagsúla Chontae Mhaigh Eo a scríobh. Tá sparánachtaí sa litríocht bronnta air trí uair ag an gComhairle Ealaíon. Ní ball d'Aosdána é.

Foilseofar saothar leanstanach ar *Sceoin sa Bhoireann* i bhFómhar 2005, mar atá *Ár i gCor Chomrua*.

An Chéad Eagrán 1995, Cló Iar-Chonnachta
Cóipcheart © Ré Ó Laighléis 1995

An tEagrán seo 2005, MÓINÍN
Cóipcheart © Ré Ó Laighléis 2005
Loch Reasca, Baile Uí Bheacháin, Co. an Chláir, Éire
Ríomhphost: moinin@eircom.net
www.moinin.ie

Deimhníonn an t-údar gur aige atá gach ceart morálta
maidir le scríobh an tsaothair seo.

 Aithníonn MÓINÍN tacaíocht airgid
Bord na
Leabhar   Bhord na Leabhar Gaeilge.
Gaeilge

Tá taifead catalóige i leith an leabhair seo ar fáil
i Leabharlann Náisiúnta na hÉireann agus i leabharlanna
éagsúla de Ollscoil na hÉireann.

Tá taifead catalóige CIP i leith an leabhair seo ar fáil
i Leabharlann na Breataine.

ISBN 0-9532777-6-3

Arna phriontáil agus cheangal ag Clódóirí Lurgan,
Indreabhán, Co. na Gaillimhe

Leagtha i bPalatino 10.5/14pt

Clóchur le Carole Devaney
Dearadh Clúdaigh le Raydesign

Sceoin
sa Bhoireann

Ré Ó Laighléis

MÓINÍN

1
An Ghabháil

An bhliain 200 Roimh Chríost. An t-aigéan ina rabharta. Aigéan nár ainmníodh fós. Leis na laethanta anuas, tá sé á thiontú féin — ionathair dhorcha a bhoilg á gcíoradh agus á dtarraingt aníos le go mbéarfaí orthu faoi ghile na gréine. Beag é faoiseamh na farraige nuair is mar seo a bhíonn, óir is beag atá thoir mar bhac uirthi agus is lú fós atá thiar. Téann an fharraige seo i bhfad, cé nach eol di dílseacht d'áit ar bith. Is í a dhéanann am a bhualadh nuair nach eol di an t-am a bheith ann go fiú.

Caitear bád, nó rafta de chineál, aníos ar dhroim toinne. Tá cúigear nó seisear — sea seisear — agus greim an fhir bháite ar chrann an árthaigh ag gach aon duine díobh, iad lasctha ag an tsíon. Iad á ngéilleadh féin do thoil thrócaireach Mhanannáin — dá thoil mhíthrócaireach, b'fhéidir. Manannán! Dia mór na Farraige! Déanfar a thoil.

Scoilt! Agus, den ala sin, bristear crann an rafta, é ag titim anuas le teann feirge, shílfeá, ar chos Relco. Deifríonn an mac is sine leis, Emlik, chuige, agus é ar a dhícheall an t-athair a chosaint ar na gaotha nimhneacha, a bhfuil dó loiscneach déanta acu ar an gcomhluadar le seachtainí anuas. Tá ribíní stróicthe scáinte an tseoil ag cloí go millteach leis an leathchrann, agus iad faoi shéideadh fíochmhar Mhanannáin. Réabann siad isteach in éadan Emlik, iad ag cur i gcoinne na hiarrachta atá á déanamh aige cuidiú lena athair. Níor tháinig an chuid uachtarach

den chrann go hiomlán glan den leath eile de agus tá cinnte
ar Emlik é a scaoileadh chun bealaigh gan chúnamh.

"An leathchrann a scoitheadh," a bhéiceann Emlik lena
dheartháir, Darkon. Titeann na focail ar mhuin na gaoithe
agus scuabtar a gciall go fánach sna ceithre hairde. Tá na
focail caillte ar Dharkon agus teannann sé go fóill dá
mháthair, Alyana, agus dá bheirt deirfiúracha, Raithnika
agus Frayika. Tá slabhra daonna déanta ag an gceathrar in
aghaidh na síne, trína lámha deasa a chur fá choim a chéile
agus trí ghreim daingean a bhreith ar a bhfuil fágtha den
chrann leis an lámh chlé.

"Éirigh, Darkon. Éirigh agus scaoil an leathchrann chun
siúil."

Cé go scuabtar focail Emlik ar an ngaoth arís, is léir
do chách óna chuid geáitsíochta an teachtaireacht a
theastaíonn uaidh a chur in iúl. Is í Raithnika an duine is
sine den bheirt chailíní. Feiceann sise comhartha Emlik ach
an oiread le Darkon, agus tuigeann sí an chiall atá leis.
D'ainneoin uile, ní bhogann Darkon. Fágann Raithnika an
slabhra daonna agus tugann leid do Dharkon an rud
céanna a dhéanamh. Is in aghaidh a thola féin a dhéanann
sé amhlaidh. Agus Raithnika ina seasamh anois, gan ach
leathlámh aici ar an gcuid sin den chrann atá fós ina
sheasamh, féachann sí chuige go bhfuil a máthair agus a
deirfiúr sábháilte trí threorú dóibh a ndá lámha a chur go
daingean ar íochtar an chrainn.

Níl de cheangal idir dhá leath an chrainn ach an tslis
féin, féitheog aonair adhmaid. Agus a lámh chlé thart ar a
athair aige, oibríonn Emlik a dheasóg chun an tsail a ardú
de chos bhriste Relco a fhad is atá an bheirt eile á brú
amach uathu. Géilleann an crann dá n-iarrachtaí, gan

friotaíocht ar fiú trácht air, agus scuabann leis amach i mbéal Mhanannáin. In imeacht chúpla soicind is faide uathu é ná cuimhne ar an mbéile deireanach a bhí acu.

Breathnaíonn Emlik ar a chuiditheoirí, iad beirt ina seasamh fós i lár an rafta. Amharcann Raithnika air agus déanann miongháire ceanúil leis. Tá sí ard, gormshúileach, fionn, mórán mar atá Emlik féin. Tá snaidhm dhaingean chairdis eatarthu. Ar shuí do Raithnika caitheann Emlik súil fhiata ar a dheartháir. Tá Darkon ina sheasamh i gcónaí, súile dubha géara a chinn dírithe aige ar Emlik — iad á dhó, á chreimeadh. Tuigeann Darkon féin go bhfuil mianach drochthuarach a nádúir sceite aige le cúpla nóiméad anuas. Streachlaíonn sé go sleamhain an leathchrann síos agus ceanglaíonn é féin arís leis an slabhra daonna a bhí acu ar ball.

Agus déantar toil Mhanannáin, Rí na bhFarraigí Uile, nó go dtoilíonn sé gan a thoil a dhéanamh.

* * *

Nimhneach é dó na gréine i ngorm na spéire. Níl neach ann a sheasfadh tréine a solais gan cor na míshocrachta a aireachtáil. Osclaíonn súile Emlik go mall pianmhar. Ní thuigeann sé gurb é a lámh féin atá trasna ar a éadan aige, á chosaint ar an ngrian. Ní áirítear an t-am ar uaireanta dá leithéid. Lá, seachtain, b'fhéidir, nó mí go fiú ó caitheadh anseo é. Ní féidir a rá. Luíonn sé socair ar feadh roinnt nóiméad, é ag iarraidh ciall a dhéanamh den ghreadfach ar a chraiceann. Ansin, díreach mar a dhéanfadh duine neantóg a thachtadh, déanann sé dorn dá lámh agus beireann ar lán na laidhre de na cráiteoirí creimneacha. Ardaíonn sé an lámh os comhair a dhá shúile agus feiceann lán de choiréal gainmheach é. *Terra firma*!

Casann Emlik ar a chliathán agus éiríonn sé go mall cúramach. Tugann pian na hiarrachta chun chuimhne dó go bhfuil briste air ag trasnálaí nach eol dó aon srian nirt. Amharcann sé ar an aigéan. Tá na faoileáin bhána ina suí ar ghlaise shámh na bóchna, iad ag bogadach go soineanta ar bharr na dtonntracha. Rug Manannán an lá leis — am scíthe anois dó, óir beidh cathanna eile le troid aige amach anseo. Agus is rímhaith is eol dó gurb é an laoch is fearr a thuigeann an tsíocháin is fearr a thuigeann dul an chomhraic chomh maith.

Cá bhfuil an chuid eile acu? arsa Emlik leis féin. Breathnaíonn sé uaidh ar dhá thaobh an mhachaire mhóir ghainimh ar ar caitheadh é. Ó dheas tá an ghrian á dhalladh, agus níl sa tírdhreach ach meall éagruthach. Léargas níos fearr ó thuaidh. Píosa maith uaidh feiceann sé carnán cuachta nach cré ná carraig é. Déanann sé air láithreach agus, de réir mar atá sé ag druidim leis, bréagnaíonn an intinn fianaise na súl. Tá sé ina rás idir phreabarnach a chroí agus luas na gcos faoi. Ní fada nó go n-aithníonn sé éadach lomrach Relco. Deifríonn sé anois thar mar a bhí de ghluaiseacht faoi cheana agus, i bhfaiteadh na súl, tá sé taobh le corp a athar. Casann sé ar a dhroim é. Tá dhá pholl, leithead cúig nó sé d'orlaí eatarthu, i gceartlár a chliabhraigh, as ar éalaigh fuil na beatha uaidh.

Tagann mire de chineál ar Emlik. Croitheann sé an t-athair, é ag béicíl leis go bhfuil tagtha slán ar fhiúnach Mhanannáin acu, go bhfuil cathanna agus dúshláin eile rompu anois. Ansin géilleann sé don tuiscint nach é Relco féin a bheidh mar leathbhádóir i dtroid ar bith feasta aige, ach go mbeidh a spiorad ag breathnú anuas orthu sa chaismirt, á dtreorú, á gcaomhnú. Caoineann an fear óg. Titeann na deora uaidh anuas ar leicne an athar agus déanann sé an fliuchras a chuimilt ar éadan an fhir mhairbh. Is é oidhre an chorpáin uasail seo é agus tá dualgas airsean feasta onóir na treibhe a iompar. Airíonn sé a chroí á fháisceadh féin ina chliabhrach istigh agus, den chéad uair riamh, is eol dó pian bhristeach an bháis.

"Emlik, Emlik." Tá an bhéic i bhfad uaidh.

Casann sé i dtreo na gréine, ach tá an ghile inti chomh nimhneach agus a bhí riamh.

"Emlik, Emlik." Is as an ard taobh thoir den trá atá an scairt ag teacht. Casann sé i dtreo na ndumhcha — dumhcha a bhfuil de dhánacht iontu aghaidh a thabhairt ar fhíochmhaire fhraochta Mhanannáin san uair a thoilíonn sé feannadh feirge a chur de.

"Emlik, Emlik — anseo, ar an ard!"

Soir uaidh, ar bharr an aird, tá cruthanna Raithnika agus Frayika le feiceáil, iad beirt ag léim suas síos agus ag croitheadh a lámh san aer.

Tagann borradh fuinnimh in Emlik i ndiaidh buille thragóid a athar. Tugann sé faoin dumhach a dhreapadh agus, le casadh boise, shílfeá, tá sé in éineacht lena dheirfiúracha agus lena mháthair — duine nach bhfaca sé ar chor ar bith agus é ar leibhéal na farraige. Seasann siad go dlúth le chéile, a lámha fáiscthe timpeall ar a chéile acu agus iad ina n-aonad in aghaidh chruálacht an domhain. Roinnt nóiméad mar seo dóibh agus labhraíonn Emlik. Caint ghiorraisc stuama staidéartha:

"Tá ár n-athair, Relco, ar lár."

Íslítear cloigne. Fonn caointe ar gach duine díobh. Ach

tá an fuinneamh chuige sin, go fiú, goidte uathu ag an slad
a rinne barbarthacht bhóchnach Mhanannáin orthu. Is den
chiúnas é an méala mór seo orthu. Crá coscrach léanmhar
ag sruthlú trí gach ball dá gcorp, mar thanú spioraid iontu.
Is pianmhaire méala seo an chiúnais ná cineál ar bith eile,
óir is faide faoi dhó é a aistear chun an tsuaimhnis.

"Sádh sa chliabhrach é ag ainmhí allta éigin," arsa
Emlik.

Is d'aonghnó é loime seo na cainte uaidh. Tá faoi an
chuid eile díobh a stoitheadh as an mbrón.

"Caithimid ár ndualgas a chomhlíonadh."

"Céard faoi Darkon?" arsa Alyana.

"Ní fhaca mé a dhath de. Céard fúibhse?"

"Ní fhaca, ná muide ach an oiread," arsa Frayika.

"Seans gur scuabadh níos faide ó thuaidh é," a dúirt
Raithnika.

"Seans! Feicfimid in imeacht ama," arsa Emlik.

Ní raibh bráthairse ar bith le haithint ar a gcuid cainte
nuair a labhradar ar Darkon. Ba dhuine áirithe é seachas an
chuid eile. Bhí na cailíní níos óige ná é agus ní raibh níos
sinsearaí ná é ach Emlik féin. Dúradh faoi, san am ar
rugadh é, go ndearna scamall dubh aghaidh na gréine a
thrasnú agus go raibh an uile ní fuar, dubh, dorcha ar feadh
achair dhothomhaiste. Ba é seo, deirtí, ba bhunús le dubh
na gruaige agus na súl air. Agus deirtí i gcónaí gur sa tsúil
a fheictear fírinne an anama.

Rinne sé Darkon a chiapadh go fiú amharc ar Emlik.
Níor réitigh siad lena chéile. Gan in Emlik é féin ach gasúr
ag an am, rinne sé a dheartháir a oiliúint sa tseilg, i gcúrsaí
aimsitheoireachta, in úsáid clipe éisc agus i mórán eile.
Agus bhí siad sin go léir mar bhunús le scil eile — suáilce

— suáilce a bhí níba uaisle fós: Suáilce an Chúraim. Bhí
bunús leis na cleasa sin, agus ba sa bhunús sin, ní sa
ghníomh féin, a bhí uaisleacht agus suáilce úd an chúraim
le feiceáil. Bhí Darkon beag beann ar chleasa nó ar bhunús
de chineál ar bith, agus, dá réir sin, ba lú spéis fós a bhí aige
i Suáilce an Chúraim. Ba den ghníomh, agus den ghníomh
amháin dósan é gach aon ní a dhéanfaí, agus ba don
ghníomh amháin a thug Darkon dílseacht idir sheilg agus
aimsitheoireacht.

Faoin am go raibh cosa curtha faoin ngrian ag an
dorchadas bhíodar réidh chun a ndualgas a chomhlíonadh.
Bhí mórán ama caite ag Frayika agus ag a máthair, Alyana,
ag carnadh cloch — clocha, ach an oiread leo féin, a
scuabadh chun talún ag fórsa na dtonntracha. Bhí carn
cumtha, moll maol cloch, agus bhíodar ceathrar anois ag
ualú an adhmaid a bhí bailithe ag Raithnika agus Frayika,
ar an mbarr. B'ábhar sásaimh dóibh é gur díobh féin agus
dá n-athair iad go leor de na bíomaí agus de na maidí a bhí
bailithe, arae ba de smionagar a rafta féin é cuid mhaith
den adhmad.

Nuair a bhí sin déanta, rinne Alyana agus a hiníonacha
na gonta i gcliabhrach Relco a líonadh le gaineamh. Ba
thábhachtaí ná aon cheo eile é go mbeadh sé iomlán agus
an domhan saolta seo a fhágáil aige, díreach mar a bhí sé
iomlán nuair a tugadh isteach ann é. D'ardaigh Emlik
corpán a athar, chuaigh in airde ar an gcarn agus leag
amach ar bharr an adhmaid é. Bhí súile an mharbháin ar
lánoscailt, iad ag breathnú trí na spéartha agus isteach i
ndomhan a bhí cosctha orthu siúd a bhí ina thimpeall.
Rinne Emlik lámha agus cosa Relco a leathadh nó gur
shínigh siad amach i dtreo na gceithre hairde. Ansin ghlac

gach aon duine díobh tóirse lasta as an tine agus shádar isteach faoi adhmad an bhreochairn iad. Bhí fíochmhaire sa dó. Rinne méid an tsolais ar chaith sé uaidh ceap magaidh d'iarrachtaí na hoíche. Bhí na lasracha ag ealaín leis an dorchadas, á mhealladh, á ghriogadh, á dhíspeagadh.

Taobh thiar den bhreocharn, i bhfad uathu, ar bharr na duimhche ar ar sheas na mná ar ball, sheas neach ag breathnú anuas ar a raibh ag tarlú. Chonaic Emlik an t-anchruth, é ag crithlonrú leis tríd an mbrothall teasa a bhí á scairdeadh ag an tine. Sheas sé amach ón mbreocharn píosa agus, i ndíbirt seo an teasa, rinne cruth den anchruth. B'fhacthas dó ansin é, faoi ghile bhreocharn Relco, an pocán mór dubh. Sheas an t-ainmhí go dána dásachtach agus chrom a chloigeann chun méid na n-adharca a bhí air a mhaíomh. Bhí fliuchras bharr na n-adharc go dearg-dhrithleach sa solas a chaith an tine orthu. Dhírigh Emlik a shúile go tréan ar an bpocán agus, d'ainneoin iad a bheith píosa fada óna chéile, dhaingnigh a súile dá chéile agus rinne an pocán méileach mhailíseach a scaoileadh uaidh. Chas sé ansin agus d'imigh. Choinnigh Emlik a chomhairle féin agus chrom a chloigeann go sollúnta ag sochraid seo a athar.

2
Dainséar agus Aimsiú Áitribh

Imeacht ama. Bhí curtha fúthu le roinnt seachtainí anuas cois srutha ar an taobh eile de na dumhcha. Bhí foscadh ar ghaotha géara na farraige ann dóibh. Sruthlinn uisce úir ón sliabh anuas a bhí sa sruthán seo — seans acu iad féin a ní, gan trácht ar ghlanadh sheithí na n-ainmhithe fiáine a thabharfadh Emlik mar chreach abhaile leis go laethúil.

Ba dhual athar dó é Emlik a bheith ina shárfhear seilge. Go luath chuile mhaidin, tar éis dó cúram a mhuintire a chinntiú, d'fhágfadh sé an campa agus dhéanfadh ar an talamh ard. Ghabhfadh sé go hard sna sléibhte creagacha, sléibhte a bhí mar fhoscadh láidir liath ar an domhan acu i rith an lae, agus rinne cuirtín tiubh dúghorm díobh féin san oíche, á gcosaint ar fhuacht an aeir.

Le linn d'Emlik a bheith as baile, bhíodh na mná i mbun gnó. Céad nós na maidine acu riamh ab ea cur síos tine. Bhí coire cré-umha óllmhór acu, a rugadar leo thar farraige agus, d'ainneoin gach luascadh-lascadh, a tháinig ina mhíorúilt slán ar an mbascadh. Bhíodh tine de shíor faoi seo, mar is ann a dhéanfadh Alyana na seithí a bhruith, í á suaitheadh ar feadh an ama chun go scaoilfí a raibh d'fheoil fós greamaithe den chraiceann. D'oibríodh Frayika cíor mhór chnáimhe ar na seithí, í á scríobadh ó bhun go barr le fiacla na huirlise sin, a bhí cumtha ag Emlik di as ceathrú ainmhí a dtáinig sé air lá ar thaobh an tsléibhe. Ba chuid dá gcreideamh é sna tíortha Nordacha as ar tháinig

15

siad go ndéanfadh sé sin olc an ainmhí a scaoileadh as an gcraiceann agus go ndíbreofaí chun an domhain eile iad. Ansin dhéanfadh sí an tseithe a chlúdach le gaineamh na farraige agus ligfeadh don salann loiscneach creimeadh a dhéanamh ar shalachar ar bith a tháinig slán ar an scríobadh roimhe sin.

Ba iad Raithnika, an té ba shine den bheirt chailíní, agus Emlik, cinnirí na clainne anois. Cé gur tháinig an mháthair slán go fisiciúil ar thrasnú clamprach an aigéin, bhí sí gan mheanma ó shin. Bhí a fear céile, Relco, anois i mbarr a réime i Valhöll, áit a raibh ionad sa tsíoraíocht aige i measc na laochra móra. D'fhág sin gan bhrí í. Mar sin, ba ar Raithnika a thit dualgas an mháithreachais.

Ó thaobh oiliúna de, ba dhéantóir earraí í Raithnika. Ghlacfadh sí na seithí a bhí saothraithe ag Frayika agus dhéanfadh iad a athní nó go ndaorfaí an neamhghlaine chealaithe ar ais go hionathar na talún. Chrochfadh sí ansin iad le triomú faoin aer úr agus chun teas na haolchloiche máguaird a shú. Nuair a bheidis réidh chuige, dhéanfadh sí baill éadaí díobh, nó clúdaigh do na botháin.

Gnathlá oibre den chineál sin a bhí ann nuair a chualadar Emlik ag béicíl. Bhí sé tamall maith uathu. Thréigeadar an láthair oibre agus dheifrigh leo go bruach an tsrutháin. Sheasadar triúr taobh le chéile agus bhreathnaigh siad go géar amach rompu ar léithe an tsléibhe chreagaigh. Tháinig preabarnach ar a gcroíthe lenar airíodar de chontúirt san aer. Bhí liúireach Emlik ag teacht níos gaire dóibh ar feadh an ama agus níor bheag an phráinn a bhí le haithint ar a ghuth. Leis sin, chonaic Frayika é i bhfad amach uathu. Bhí sé ag bogadach leis, suas síos go tapa agus é ag déanamh orthu thar na sciorthaí sciollacha aolchloiche a bhí diúltaithe ag an gcnoc.

"Féachaigí, 'sé Emlik atá ann," ar sí agus shín sí méar ina threo.

Ghéaraigh Alyana agus Raithnika na súile agus d'aithníodar é ag déanamh ar an gcampa de luas.

"Tá rud éigin á leanúint! Tá ainmhí sa tóir air," a bhéic Alyana, agus í ag fógairt éigeandála.

Tháinig Raithnika ar aghaidh beagáinín agus chonaic go raibh an ceart ag Alyana. Bhí ainmhí dingthe téagartha, de chineál nach bhfacadar riamh cheana, go dian sa tóir ar Emlik.

"Go beo, a Mhama, siar leat sa champa," arsa Raithnika, agus bhrúigh sí a máthair roimpi ar ais i dtreo an áitribh. "Frayika, beir chugam na sleánna."

Bhí gluaiseacht faoi Frayika. Níor thúisce imithe ná ar ais taobh le Raithnika í, agus dhá shleá fhada adhmaid aici, a raibh breochlocha crua géara ar a mbarr.

"Ná corraigh as sin, a Mhama," arsa Raithnika arís. "Gabh i leith uait 'Frayika."

Agus ghluaiseadar beirt, deirfiúracha, thar an tsruthán agus ghread leo i dtreo na círéibe. Bhí rásaíocht faoina gcroíthe agus d'airigh siad an talamh ina thormáil faoina gcosa. Ar feadh an ama bhí Emlik, agus an cruth allta seo ina dhiaidh, ag teacht níos gaire dóibh.

"Gabhaigí ar ais, gabhaigí ar ais," a bhéic Emlik, agus é i dtánaiste an anama.

Ba í seo an chéad uair dóibh ciall a bhaint as béicíl Emlik. Faoi seo, áfach, bhí sé ró-dhéanach dóibh smaoineamh ar chasadh ar ais sa treo as ar tháinig siad. Ar aon chaoi, bhí a ndeartháir i gcontúirt agus b'úire ná rud ar bith eile é a gcuimhne ar an gcaoi ar tháinig Emlik i gcabhair orthu uile in am an ghátair, am na práinne.

Sheasadar go daingean. Cé nárbh eol dóibh cén t-ainmhí é féin, bhí an torc allta le feiceáil rompu, é breactha dúdhonn, agus é ag teannadh go tréan le hEmlik. Bhí sleá bhriste Emlik ag gobadh as muineál an toirc, áit a raibh fuil ag sileadh go fras as an gcneá a bhí déanta ag an uirlis.

"Luígí síos, luígí síos," a bhéic Emlik. Bhí mire sa bhéic agus é ag déanamh orthu.

"Maróidh sé sibh. Luígí, luígí."

Bhreathnaigh na deirfiúracha ar a chéile. Bhí tuiscint an tosta eatarthu agus thuigeadar ina gcroíthe a raibh le déanamh. Ní raibh idir iad agus Emlik faoi seo ach an dornán slat féin agus gan ach leath an oiread eile idir iad agus an torc truplásach. Sheasadar go diongbháilte. Chuimhnigh siad ar na huaireanta a chonaic siad Emlik féin, agus Relco roimhe, ag tabhairt aghaidhe ar a leithéid. Thuigeadar an beart a bhí le déanamh agus ghuíodar misneach lena chur i gcrích. Nuair a d'imigh Emlik de rúid eatarthu chonaic siad den chéad uair fíor-bharbarthacht an chollaigh ghránna.

"Scaoil," a bhéic Raithnika agus, d'aon iarracht amháin, mhúscail siad a misneach agus theilgeadar na sleánna le lán a gcuid fuinnimh. D'aimsigh siad go beacht agus chuaigh an dá shleá isteach, taobh le taobh, i gceartlár éadan an chollaigh, á stopadh ar an láthair agus ag díbirt an choirp cheapánaigh chun na hithreach. Scréach an t-ainmhí, scréach ríghéar, agus lig gnúsacht dhomhain an daortha uaidh. Agus fós, bhí iarracht á déanamh aige na cosa a thréanú faoi arís. Bhí na cailíní ina staiceanna iontais, mearbhall orthu ag a raibh déanta acu. Bhreathnaigh siad ar an bhfia-chollach, a cholainn alpartha á tarraingt aníos arís aige agus é á réiteach féin don ionsaí deireanach. Ba ghránna an feic é agus na trí sleánna ag gobadh as go luascach. Nocht sé na fiacla agus scaoil gnúsacht eile fós uaidh. Bhí deirge na feirge sna súile air agus iad ag sileadh gan srian. Rinne sé an talamh a thochailt lena chrúb agus chrom ar aghaidh beagáinín, ag cur cuile air féin don ionradh. Thochail sé uair amháin, faoi dhó, faoi thrí. Chúb na cailíní faoi ghéire an amhairc. Ansin, nuair ba ríléir na cailíní a bheith faoi bhois an chait ag an ainmhí, iad gan bhrí gan chumas, phléasc Emlik tríothu arís gan choinne, agus rinne cloch a radadh isteach idir an dá shúil ann. Sheas an torc gan cor as go ceann roinnt soicindí; bhí na súile dírithe amach roimhe. Leis sin, d'eisigh sé scréach aonair péine uaidh agus thit ina phleist — marbh.

Thit na cailíní agus Emlik ar a nglúine agus thuigeadar gurbh é spiorad Relco a bhreathnaigh anuas orthu in am an ghátair.

Níos déanaí an tráthnóna sin, shuíodar cois tine ag breathnú ar an gcollach ceannann céanna agus é á róstadh. D'inis Emlik dóibh faoi mar a tháinig sé ar an ainmhí agus, níos fearr fós, faoi mar a tháinig sé ar sheoid d'áit a d'fheilfeadh dóibh mar áitreabh buan.

"Bhí mé leath bealaigh síos ar an dtaobh eile den sliabh," ar sé, "nuair a chonaic mé uaim é: fearann álainn féarach, é fáiscthe idir dhá laftán cloiche. Choinnigh mé im' chuimhne é, go fiú tar éis dom an sliabh a thréigean, agus is iomaí sruthán agus carraig a thrasnaigh mé agus mé ag déanamh ar an áit."

"Agus ar tháinig tú uirthi?" a d'fhiafraigh Frayika go mífhoighneach de.

Ba í an cheist chéanna a bhí ar bharr a dteangacha ag

Alyana agus Raithnika.

"Bog breá anois, agus lig dom mo scéal a aithris," arsa Emlik, nuair a bhraith sé a ndíograis. Bhí fad á chur leis an insint aige sa chreidiúint go gcuirfeadh sé sin le blas an scéil.

"Agus mé ag druidim leis an áit, chuala mé glórtha."

"Glórtha!" arsa Raithnika. "Tá daoine eile thart?"

"Tá, go deimhin," arsa Emlik. "Chuala mé na glórtha seo agus tháinig mé i dtreo an fhearainn fhéaraigh go ciúin cúramach. Bhí sceacha sa cheantar agus chuaigh mé i bhfolach iontu, féachaint céard a bhí ar siúl."

"Agus céard a bhí ar siúl ann? An bhfuil áitreabh acusan ann?" a d'fhiafraigh Alyana de. Ba léir ar thuin bhorb a gutha go raibh sí ag tuirsiú den scéal fada a bhí á dhéanamh ag Emlik d'insint a chuid nuachta. D'aithin Emlik rian na mionfheirge uirthi agus shíl sé, lena raibh de mheas ar a mháthair aige, go gcuirfeadh sé dlús faoin insint.

"Níl, a Mhama, níl aon áitreabh acu ann," ar sé.

Ba léir rian an dóchais ar éadain na mban, é le feiceáil orthu go mba spéis go mór leo an áit seo a bhí aimsithe ag Emlik le bheith mar ionad cónaithe acu.

"Bhíodar ar an tseilg ann," ar sé.

"I ndiaidh an ainmhí?"

"Díreach é, a Mhama, ach amháin gur mó ná ainmhí amháin a bhí san áit — suas le scór, nó scór go leith díobh, cheapfainn."

"Agus na daoine — cé mhéid acu a bhí ann?" a d'fhiafraigh Frayika de.

"Ceathrar, nó cúigear ar a mhéad, déarfainn. Bhí dhá cheann de na muca fiáine maraithe acu, agus iad ceangailte

ar mhaidí iompair. Nuair a tháinig mise ar an láthair bhíodar
ar tí fágáil. Mar sin, d'fhan mé i measc na dtom nó go raibh
siad bailithe leo."

"Céard faoin áit féin? Cén sórt áite í?" arsa Raithnika.

"Bhuel, is deacair a rá, dáiríre, ach go bhfuil an chuma
air go bhfeilfeadh sé go maith do dhream beag mar muid.
Bhí mé ar tí a thuilleadh iniúchta a dhéanamh air nuair a
sheas mé ar chraobhóg. Ní túisce briste é ná go bhfaca mé
ár gcara anseo," agus thug sé nod i dtreo na muice rósta,
"agus é ag déanamh orm."

"Agus thug tú do na boinn é!"

"D'fhéadfá a rá, 'Frayika," ar sé.

Agus rinneadar gáire, chuile dhuine acu. Ba é gáire an
fhaoisimh é. Ba theaghlach iad i gcónaí, d'ainneoin a raibh
de chontúirt ag bagairt orthu ar ball beag, agus bhí siad
slán, ina suí cois tine agus a dtodhchaí á leagan amach acu.

"An áit seo a bhfuil tú ag caint uirthi," arsa Alyana, "an
bhfuil sí i bhfad uainn?" Ba í seo an chéad uair ó bhásaigh
Relco ar léirigh Alyana suim mar seo i rud ar bith. Seans go
ndearna baol an bháis a bagraíodh ar a sliocht an tráthnóna
sin í a ghriogadh as an támhnéal a tháinig uirthi i ndiaidh
bhás Relco.

"Ceithre mhíle coiscéim ar a mhéad, agus tá timpeallú
an tsléibhe san áireamh sa mheastachán sin," arsa Emlik.

"Agus céard faoi uisce? An bhfuil uisce gar don
suíomh?" a d'fhiafraigh Frayika de.

"Uisce! Abair é, a chailín! Tá, go deimhin, agus scoth an
uisce. Tá sruthán ann atá gach pioc chomh húr agus chomh
glan lena bhfuil anseo againn," arsa Emlik.

"Is ann a rachaimid más ea," arsa Alyana. "Tosóimid as
an nua agus beidh sé de shuaimhneas ag spiorad bhur

n-athar go ndearnamar a thoil a chur i gcrích."

Maidin lá arna mhárach, agus an ghrian fós íseal sa spéir thoir, bhailíodar a gcuid earraí go léir le chéile. Bhí málaí droma déanta de na seithí móra ag Raithnika agus chuireadar mórchuid na n-uirlisí cnáimhe, cré-umha agus cloiche isteach iontu.

Caitheadh cuid mhaith ama ag iarraidh bealach a cheapadh chun an coire mór cré-umha a bhreith leo. Bhí sé mar chompánach ag trasnú na farraige acu agus ba de mhúnlú agus de dhéanamh Relco féin é. Anuas air sin, bhí tábhacht nach beag ag baint leis maidir lena gcuid oibre. Ach bhí sé i bhfad Éireann ró-mhór agus ró-throm le go mbéarfaidis leo é gan modh feiliúnach iompair a bheith acu. Mhol Emlik go gcuirfí i bhfolach sna dumhcha é agus go bhfillfidis ar ball lena bhreith leo, nuair a bheadh bealach a iompair cinntithe acu. Tharraing siad taobh thiar de na dumhcha é agus charnadar clocha timpeall air lena choinneáil faoi chlúid.

B'airde anois ná ar ball beag í an ghrian sa spéir agus d'fháiltigh siad roimh an teas a ghin sé. Thrasnaigh siad an sruthán — an sruthán sin a bhí mar chara acu ó tháinig siad chun na háite seo — d'iompaigh thart chun breathnú arís air agus, duine ar dhuine, chaitheadar cloichín isteach san uisce agus bhreathnaigh orthu ag lúbarnaíl leo nó gur bhualadar leaba an tsrutha. Bhí sé dlite ina gcultúr dóibh go léireofaí a gcomaoin ag an dúlra i gcónaí riamh, trí shainrian éigin a fhágáil ina ndiaidh. D'imigh Emlik amach rompu agus threoraigh i dtreo an deiscirt iad. Leanadar in aon líne amháin é, Raithnika chun deiridh.

Bhí an seacht mbliana déag slán ag Emlik faoin am seo, é bliain níos sine na a dheartháir, Darkon, faoi nár chuala siad dada ó shín. Ba é dualgas Emlik, os é ba shinsearaí, ceannaireacht a thabhairt. Bhí sé ard storrúil, é geal-chraicneach agus níos gile fós sa ghruaig. Bhí idir láidreacht agus aclaíocht, thar mar a bheadh súil leis i nduine dá aois, le feiceáil ar a ghéaga. B'fheasaí freisin í a mheabhair, í níos críonna, níos aibí ná iad siúd a bheadh ar aon aois leis. Go deimhin féin, roimh bhás Relco go fiú, ba mhinic dóibh go léir — seachas Darkon, ar ndóigh — gaois agus comhairle Emlik a lorg maidir le cinneadh ar bith.

Ach an oiread lena dheartháir, bhí rian na gaoise agus an nirt ar Raithnika leis. Bhí sí bliain go leith níos óige ná Darkon agus ba léir don dall féin gur spéirbhean í. Rinne sise Frayika a oiliúint i Suáilce an Chúraim, mórán mar a rinne Emlik lena dheartháir. Léirigh sí modh glanta na seithí dá deirfiúr agus mhúin di ornáidiú coirníneach. Rinne sí modhanna cócaireachta a theagasc di chomh maith. Ach, thar ní ar bith eile, chothaigh sí meas ar dhúile an tsaoil seo inti, agus tuiscint ar a dtábhacht.

"Glacaimis sos tamaillín, le bhur dtoil," arsa Frayika, agus bhain sí an t-ualach dá droim.

"Muise, tá tú beannaithe, a chroí," arsa Emlik. "Anois díreach a bhí mé féin á cheapadh. Tá a fhios ag na déithe go bhfuil píosa deas siúlta againn cheana féin."

Bhí an ghrian an-tréan faoin am seo, í bogtha go hard isteach i ndeisceart na spéire. Shuigh siad agus bhreathnaigh siar sa treo as ar tháinig siad. Go deimhin, bhí an-phíosa siúlta acu agus, murach a gcur amach ar an seanáitreabh, ba dheacair dóibh é a aimsiú agus iad chomh fada sin uaidh.

Bhí cuma na tuirse ar Alyana. Níor bhean óg a thuilleadh í. Bhí suas le leathchéad samhradh curtha di aici, agus le cois air sin, b'fhéidir. Bhreathnaigh sí siar i dtreo na farraige as an áit inar shuigh sí. Thug Emlik faoi deara mar a rinne an ghrian spréacharnach ar ribí airgid a cuid gruaige. Caithfidh go raibh sí ina hainnir álainn tráth den saol, a shíl sé dó féin, chomh hálainn lena hiníonacha, go fiú.

"Seo, a Mhama, déanfaidh mise é seo a iompar go ceann píosa," ar sé, agus thóg sé an mála uaithi. Chuir sé an lámh eile faoina huillinn agus chuidigh léi seasamh. Dhearc sí air go ceanúil agus chuimil a leiceann lena lámh.

"Is tú mac d'atharsa go smior, a stóirín," ar sí. Bhreathnaigh siad le teann ceana ar a chéile.

Bhí an bheirt eile ina seasamh cheana féin. Ghluais Emlik leis chun tosaigh agus a fhios aige ó imeachtaí an lae roimhe sin gur ghaire don áit nua ná don seanáitreabh iad. Slogadh as amharc na seanáite iad nuair a chasadar taobh thiar den sliabh creagach liath. Bhí siad ag tarraingt leis an ionad úr.

Bhí an ghrian ag deargadh na spéire faoin am a raibh siad ag druidim le ceann scríbe; imir órga spréite ar an moll mór aolchloiche a bhí anois taobh thiar díobh. Sheas Emlik ar chiumhais an dromchla aolchloiche ar a shiúil siad. Shín aill síos uaidh san áit inar stop sé. Thíos, ag bun na haille, bhí innilt ghlas fhéarach ag síneadh amach uathu.

"Éistigí," arsa Emlik.

Ní raibh gíog astu, agus gan a fhios acu céard leis a bhí siad ag éisteacht. Frayika ba thúisce a chuala.

"Uisce! Sruthán uisce!" a bhéic sí, agus léim sí suas síos le háthas, í an-sásta léi féin gurbh ise a chuala ar dtús é.

"An bhfuilimid tagtha, 'bhfuilimid tagtha?" arsa Raithnika, agus tháinig sí féin go ciumhais na carraige.

"Tá, go deimhin, táimid tagtha. Ár n-áitreabh úr," arsa Emlik.

Sheas an ceathrar amach ar chiumhais na haille agus bhreathnaigh anuas ar ghlaise na talún a shín amach rompu. Rinneadar an áilleacht a dhiúgadh. Bhí bunús acu.

3
Knapper, Bagairt Bháis agus Cairde Nua

Tús an Earraigh a bhí ann nuair a tháinig Emlik agus a mhuintir chun an áitribh nua úd a bhí neadaithe idir an dá ard. Caitheadh go leor ama ag eagrú na háite, ag baint na dtom imeallach agus ag réiteach ionad oibre ann. Teacht an tsamhraidh, bhí botháin oibre ag na mná a bhí comhdhéanta de sheithí agus de chaolaigh, áit ina bhféadfaidis na seithí a chrochadh agus a oibriú, agus áit stórála dá mbabhlaí cloiche agus dá mbrónna.

Níor lig Emlik a chuid maidí le sruth ach an oiread. Níorbh fhada ann é nó bhí cuid de shíol an ghráinne a bhí tugtha acu as na críocha Nordacha curtha aige. Bhí súil aige go mbeadh borradh faoi agus, go deimhin, faoin am a raibh lár an tsamhraidh tagtha, ba léir ar na gais óga úra a bhí ina seasamh go maorga ann, go mbeadh rath ar an bhfómhar.

Chomh maith leis sin uile, bhí ainmhithe fiáine faoi cheangal i mbábhún acu agus, de réir a chéile, rinneadar an spás sin a leathnú, rud a thug níos mó saoirse dóibh. Ar deireadh, nuair a bhí na hainmhithe ceansaithe, bhaineadar anuas an sconsa agus ligeadar dóibh an t-áitreabh a thaisteal, gan chosc gan srian. I measc na n-ainmhithe bhí dhá cheann den chineál ar éalaigh Emlik uaidh an lá cinniúnach úd tamall roimhe sin. Na bodaigh bhreactha a thug siad orthusan anois. Bhí dhá ghabhar acu freisin, ar éirigh le hEmlik breith orthu agus é ag fiach an tsléibhe. Bhí bainne go laethúil acu ón minseach, rud a chreid siad a bheith go maith dá gcnámha. Ba é an bainne céanna, dar le hAlyana, ba chúis lena gcnámha agus a bhfiacla a bheith chomh bán agus a bhí siad.

Agus, ar ndóigh, bhí Knapper ann — gadhar fiáin ar tháinig Frayika air agus é gortaithe ag bun an tsléibhe lá. Ba mhac tíre é dáiríre, ach thug siad chun bisigh é agus rinne a cheansú sa chaoi, i ndeireadh na preibe, gur chloígh sé leo agus é mar mhadra loirg sa tseilg ag Emlik agus mar chara ag an gcuid eile acu. Bhí cuma chnaipe ar bharr na sróine air agus, dá bharr sin, thug Frayika — a raibh cion ar leith ag an ngadhar uirthi — Knapper air, an focal dúchasach a bhí acusan ar 'chnaipe'.

Bhí an chinniúint ag taobhú leo ar chuile bhealach. Lá dá raibh Raithnika ag níocháin seithí sa sruthán, thit a bráisléad coirníneach dá rosta agus isteach san uisce leis. Ba mhór aici an bráisléad céanna, óir rinne a hathair go speisialta di é ar shroicheadh aois a seacht di. Shiúil Emlik fad an tsrutháin á chuardach agus tháinig sé air ar deireadh i gcarnán gláir cois an bhruaigh, áit inar rith an sruthán seo in aonsruth le ceann eile. D'airigh sé, ar bhealach domhínithe éigin, go raibh cur amach aige ar an sruthán eile seo, agus, go deimhin, nuair a lean sé dá chúrsa, nár tugadh chun na ndumhcha é! Ba é an sruthán ceannann céanna é is a bhí le hais an chéid áitribh. Dá réir sin, roinnt laethanta ina dhiaidh sin, bhí ar chumas Emlik rafta beag a bhreith leis chun na ndumhcha agus an coire mór créumha a bhreith ar ais leis go dtí an t-áitreabh nua.

Mar sin, d'ainneoin an chruatain agus uile, idir throid in aghaidh na farraige agus bhás a n-athar, Relco, gan trácht ar gharbhás Emlik féin, ní hamháin gur tháinig siad slán ar gach contúirt ach bhí dul chun cinn déanta acu thar mar a shamhlaigh siad riamh. Ní raibh a dhath de dhíth orthu, dáiríre, ach go mb'fhéidir go mba dheas é comhluadar eile a bheith acu. Ba mhinic dóibh na strainséirí úd ar thagair Emlik dóibh a phlé. Cad as ar tháinig siad? An raibh siad sa cheantar i gcónaí? An raibh siad muinteartha? Bhí gaois na haoise ar Alyana. Mhol sí foighne a bheith acu. Léireofaí chuile shórt in imeacht ama, a dúirt sí.

* * *

Lá aoibhinn gar do dheireadh an tsamhraidh a bhí ann. Bhí na barra cois abhann ard agus órga. Shíl Frayika agus Knapper siúl leo amach sna cnoic laisteas den áitreabh. Rinne Frayika iontas den áilleacht a shín os a comhair amach. Fad raon na súl i ngach treo inar bhreathnaigh sí bhí leaca móra míne liatha. Shín clár-urlár ábhalmhór amach uaithi. Bhí scoilteanna cúnga idir na leaca inar fhás bláthanna den chineál ab áille agus ba neamhchoitianta. Ar feadh tamaill mhaith léim sí ó leac go leac agus chrom go minic chun bolú de chumhrán na mbláthanna agus chun ligean dá súile na dathanna a dhiúl.

"Nach álainn iad, a Knapper?"

Agus rinne Knapper a haghaidh a lí, amhail is go raibh sé á rá: 'sea go deimhin, tá siad ar na bláthanna is áille dá bhfaca mo leithéidse de mhac tíre le fada an lá.'

Bhí Frayika chomh tógtha sin leis an áilleacht a bhí thart uirthi nár thug sí aistear na gréine isteach in ísle na spéire ó dheas faoi deara. Ba chuma léi freisin nár itheadar ó mhaidin. Ach tá a riail féin ag an Nádúr. Rinne bolg

Knapper geonaíl fhada ocrais a fhógairt.

"Á, an créatúr!" arsa Frayika. "An bhfuil ocras ag teacht ort, a Knapper?" Agus chrom sí agus dhruid cloigeann an ainmhí go ceanúil lena leiceann. Thuig sí féin go maith má bhí geonaíl ó bholg Knapper go gcaithfidh sé go raibh sé ag tarraingt ar an oíche.

Leis sin, rith sé léi nach raibh tuairim dá laghad aici cá háit ina raibh sí. Cá raibh an t-áitreabh as seo? Cén treo as ar tháinig siad? Bhreathnaigh sí mórthimpeall uirthi. Ba mar an gcéanna é an dromchla i ngach treo. Leaca liatha leamha, iad ag síneadh amach uaithi ar chuile thaobh di. Gan chrann, gan sceach, gan oiread agus fuaim uisce a chuideodh léi soir thar siar a aithint. Ghéaraigh luas a croí le himní.

Rith Knapper amach uaithi ó dheas i dtreo na gréine. Níorbh fhada go mbeadh an ghrian sa spéir thiar. Is ansin an dorchadas! Céard a bheadh i ndán dóibh ansin? Nuair a bhí dhá chéad slat nó mar sin rite ag Knapper, chas sé i dtreo Frayika arís agus rinne tafann. Lean sé den tafann nó gur tháinig Frayika chuige. Chrom sí taobh leis agus leag lámh ar a ghualainn.

"Céard é féin, a Knapper? Céard é?"

Bhí Knapper ina thost anois. Bhreathnaigh sé amach uaidh i dtreo na gréine. Lean Frayika a amharc.

"Céard é féin, a Knapper?" ar sí arís. "An bhfeiceann tú rud éigin?"

Fós eile, d'imigh an gadhar leis agus chuir ochtó, nócha, céad coiscéim de. Thosaigh sé ar a thafann arís. Tháinig Frayika a fhad leis athuair, chrom agus bhreathnaigh. An babhta seo bhí deatach le feiceáil píosa uathu. An t-áitreabh, ní folair!

"Maith thú, a Knapper," ar sí, agus rug sí barróg mhór ar an ngadhar. Thug sí póigín dó ar a shróinín cnaipeach agus ghlan fuaire agus fliuchras na teagmhála dá beola ina dhiaidh.

Thrasnaigh siad clár na haolchloiche faoi dheifir agus tháinig siad go ciumhais an urláir. Bhí cosán nó lorg thíos faoi bhun leibhéal na carraige. Níor aithin sí an lorg seo ach níor chuir sin aon iontas uirthi, mar bhí cuid mhaith faoin áitreabh nár thuig sí fós, agus, ar chaoi ar bith, ba seo an chéad uair di imeacht chomh fada sin ó bhaile. Ar clé, lean an lorg seo air go ceann píosa sular imigh sé as radharc. Ar dheis, d'éalaigh sé go sciobtha taobh thiar d'fhairsinge na carraige ar ar sheas Frayika agus Knapper.

D'fhéach Frayika trasna go dtí an taobh eile den lorg. Bhí an deatach ag éirí aníos áit éigin taobh thiar de na sceacha thall agus, mórán ag an am céanna, thug sí faoi deara go raibh boladh feola rósta á iompar ar an aer.

"Knapper," ar sí go háthasach, "nach tú atá cliste!"

Agus chrom sí fós eile agus lig arís do Knapper lí a dhéanamh ar a héadan.

Síos ar an lorg agus trasna leo i measc na gcoll, a bhí go trom faoi dhuilliúr, rud ba dhual dóibh an tráth sin den bhliain. D'imigh Knapper chun tosaigh agus, de réir mar a rinneadar a mbealach, bhí boladh na feola rósta ag méadú, rud a ghéaraigh méid an ocrais ar Frayika.

Bhí áiteanna i measc na gcoll ina raibh satailt déanta ar an scrobarnach — cruthú gur mhinic daoine ann. Caithfidh gur bhealach eile fós isteach san áitreabh ag Emlik é agus é ag filleadh ón tseilg sna sléibhte, a shíl Frayika di féin. De réir mar a mhéadaigh ar bholadh na feola bhí tanú ag teacht ar na sceacha agus bhí Frayika cinnte de go raibh sí an-ghar don bhaile. Bhí Knapper bailithe leis ar fad as amharc faoi seo.

Gan choinne, phreab beirt fhear stumpach amach sa tslí, díreach os comhair Frayika. Ansin tháinig an tríú duine taobh thiar di agus d'fháisc a lámh go láidir timpeall ar a muineál. Ba chosúla le hainmhithe iad seachas daoine, shíl Frayika. Bhí sceitimíní ar a croí agus na glúine ag cúbadh fúithi agus, cé go ndearna sí a dícheall scread a ligean, níor tháinig a dhath as a béal.

Fir gharbha a bhí iontu, iad ina bpuntáin fhéasógacha. Níorbh ionann iad agus Emlik, a bhí ard agus glan san éadan. Gruaig dhubh orthu agus ba den chollach fiáin iad na seithí a chaitheadar. Bhí goib a gcuid sleánna brúite in aghaidh bholg Frayika ag an mbeirt chun tosaigh. Bhí faitíos uirthi anáil a tharraingt ar eagla go sáfaí í. Rinne mo dhuine ar chúl orduithe a radadh leis an mbeirt eile i dteanga iasachta éigin nár chuala Frayika riamh cheana.

Bhog súile an chailín óig go fraochta ó thaobh go taobh. Bhí sí faiteach faoina raibh á rá ag mo dhuine ar chúl. Rinne duine den bheirt chun tosaigh an tsleá a tharraingt siar óna bolg, tháinig ar aghaidh chuici agus bhain sracadh as an muince dhaite chlochach a bhí ar a muineál aici. Scread sí ar ard a gutha — scread fhada ghéar a d'imigh mar lansa tríd an aer agus a chuir sceoin sna fir. É siúd a raibh a shleá fós ina coinne aige, rinne sé í a phriocadh léi. Scréach Frayika arís. Priocadh eile uaidh, é ag ceapadh, seans, go ndéanfadh sé sin í a chiúnú. Ach a mhalairt a tharla: scréach sí don tríú huair agus, an babhta seo, rinne an tríú fear, a raibh greim láidir aige uirthi i gcónaí, a lámh a chur trasna ar a béal. Níor thúisce sin déanta ach tháinig Knapper de rúid as na sceacha, rinne a ghéaga a leathadh san aer agus chaith é féin le lán a nirt in aghaidh an fhir a rinne Frayika a phriocadh. Leag an gadhar ar an talamh é agus thosaigh ar ghreimeanna a bhaint as a lámha agus a chosa. Bhí an dara fear timpeall ar an gcomhrac seo, é ag déanamh iarrachta ar Knapper a phriocadh lena shleá, ach é faiteach ag an am céanna lena raibh de chambús eatarthu, gurbh é a chomrádaí a dhéanfadh sé a ghortú.

Thug iarracht Knapper misneach do Frayika agus rinne sí a fiacla a shá go teann i mbos fheolmhar an té a raibh gobán aige uirthi. Scread seisean le méid na péine, scaoil Frayika uaidh agus d'fháisc a lámh, a bhí ag sileadh fola go fras faoin am sin.

Thréig Knapper an fear a bhí ar an talamh aige agus rinne ar fhear na boise, é ag díriú ar na cosa air. Thug sé áladh ar na colpaí air agus thosaigh an fear cráite ag béicíl anonn go fraochta ar an gceann a raibh an tsleá fós ina lámh aige. Tháinig an sleádóir ar aghaidh agus rinne pramsáil na héiginnteachta thart ar áit na coimhlinte. Bhí sé ag faire ar an deis cheart chun an tsleá a scaoileadh agus, nuair a shíl sé sin a bheith aige, chaith sé uaidh le hollmhéid nirt é. Ach, ar mhí-ámharaí an tsaoil — dósan, ar chaoi ar bith — d'imigh an tsleá glan thar shlinneán Knapper agus isteach leis go domhain i gcos a chomrádaí. Tháinig faitíos láithreach ar an sleádóir go gcasfadh Knapper airsean, agus bhailigh sé leis go beo agus na cosa in airde aige.

Bhí cuma an iontais ar an mbeirt ionsaitheoirí eile agus bhí siad chomh tógtha sin lena gcruachás féin is go raibh deis ag Knapper greim béil a bhreith ar rosta Frayika agus í a threorú ar ais trí na coill agus dídean a chuardach. Bhí Frayika ag cur fola go trom agus, a luaithe agus a bhí

Knapper réasúnta cinnte de go raibh siad sábháilte go
maith, stop sé agus thóg sé den lorg í agus isteach i lár na
roschoille leo. D'aimsigh sé áit thirim i measc na sceach di.
Chuaigh sé ar a chromada. Amhail is gur thuig an
ghirseach go raibh sé sábháilte a leithéid a dhéanamh, thit
sí i laige ar an spota a bhí aimsithe ag Knapper di. Rinne an
gadhar gais raithní agus craobhóg a tharraingt as an
gcasarnach agus chuir sa mhullach ar an gcailín iad.
Chinnteodh sé sin nach dtiocfaí uirthi, fiú dá dtiocfadh na
foghlaithe an treo.

Bhí loinnir i súile Knapper — loinnir úd na hintleachta.
Thuig sé le dúchas a raibh le déanamh. Rinne sé na cluasa
a bhiorú, bhreathnaigh go géar gach aon taobh de agus
chúlaigh as an áit. Rinne sé ar an lorg mór a bhí aimsithe ar
ball acu, taobh thíos de chiumhais na haolchloiche. Nuair a
bhain sé sin amach, chroch sé a chloigeann agus lig uaill
fhada uaidh.

"Úúabha!"

Bhí an ghealach dheirceach ina slisne phéitseogach os
cionn Shliabh an Mhóinín.

"Abhaúúú!" a chuala sé i bhfad uaidh.

"Úúúabha!" arsa Knapper arís.

"Abhaúú!" a tháinig an glam eile de fhreagra athuair.

Bhreathnaigh Knapper go géar i dtreo na háite inar
éalaigh an lorg taobh thiar den chnocán aolchloiche. As an
treo sin a tháinig an uaill fhreagrach. Siar leis arís trí na
sceacha go dtí an áit inar luigh Frayika, chinntigh arís go
raibh chuile ní ina cheart agus amach arís leis ar an lorg.
Lean sé de, timpeall an chasaidh sa lorg, agus lán a fhios
aige go raibh sé ag déanamh ar áit nach bhfaca sé riamh
cheana. Ó am go chéile thabharfadh sé glam uaidh —

"Abhaúú!" — agus, chuile uair dá ndearna, tháinig freagra ina dhiaidh — "Úúabha!"

Bhí sé ag druidim leis an áit ar feadh an ama agus d'aithin sé ar na glamanna nár den fhiántas iad. Ba ghlamanna mic tíre iad. Sea, mac tíre, ach an oiread leis féin, a bhí ceansaithe. Agus, san áit ina raibh mic tíre ceansaithe, bhí daoine. Agus san áit ina raibh daoine, bhí deis chúnaimh!

Ach céard a tharlódh dá mba iad na daoine céanna iad faoinar fhulaing siad drochíde cheana féin? Chaithfeadh sé a bheith cúramach. Ní thógfadh sé i bhfad air iad a mheas.

Bhí deireadh curtha lena thafann ag Knapper faoi seo. Bhí raon a shlí aimsithe aige agus thuig sé go baileach anois an áit as ar tháinig na freagraí chuige. D'imigh sé den chosán agus isteach arís leis i measc na dtom. Luigh sé lena bholg chun talún agus d'úsáid sé na cosa chun é féin a theilgean ar aghaidh. Bhí linn uisce roimhe agus bruach mór cré taobh thiar de sin arís. D'aon léim amháin, thrasnaigh sé an t-uisce agus, diaidh ar ndiaidh, rinne an bruach a dhreapadh, na cluasa á gcur siar aige le nach bhfeicfí go ró-éasca é. Ar ardú na súl thar bharr an bhruaigh dó, b'fhacthas lasracha buí na tine ag damhsa sna himrisc air. Bhiorraigh sé na cluasa. Neacha daonna! Cúigear déag, nó scór díobh, b'fhéidir! Idir fhir agus mhná ann — daoine óga ann chomh maith. Iad ina suí timpeall na tine móire agus iad ag gáire agus ag caint. Ciorcal cruinn de chrainn ar bharr an bhruaigh a dhún isteach iad. Shín na géaga uachtaracha isteach ar chaon taobh nó gur theagmhaigh siad dá chéile agus rinne díon díobh féin mar chosaint ar an aimsir. Bonn láithreach, thuig Knapper ina chroí go raibh an cairdeas agus an fháilte mar dhlúthchuid den áit seo.

Tharraing sé é féin aníos agus sheas ar dhroim an bhruaigh. Ar a fheiceáil dóibh, tháinig na mic tíre eile a bhí cloiste ar ball aige ag rith chuige. Bhí a rubaill á gcroitheadh acu agus bhíodar ag tafann agus ag déanamh spraoi. Sé cinn díobh a bhí ann. D'fhág beirt de na daoine a n-ionaid cois tine agus tháinig siad chuig Knapper. Glanbhearrtha a bhí siad, agus seithí bána olla mar fheisteas orthu. Bhí a fhios ag Knapper dá réir nár den dream a d'ionsaigh Frayika iad. Cheadaigh sé do na fir a chóta a chuimilt agus d'éirigh leis a gcion a fháil trí neadú isteach chucu. Nuair a d'airigh sé cinnteacht na comhuiníne eatarthu bhog sé amach uathu agus thosaigh ar na glamanna arís. Thaobhaigh sé arís leo agus ansin amach uathu fós eile, agus lig uaill eile uaidh. Rinne sé bréagrúid amach uathu, ach stop ansin chun breathnú ar na fir seo. Ba fhir iad seo a thuig nósanna an mhic tíre. Agus cén fáth nach dtuigfeadh agus a leithéid ceansaithe acu féin!

Theastaigh uaidh go leanfaidis é. Rith na fir siar i dtreo na tine, rug greim ar shleá, ar thua láimhe agus ar thóirse an duine, agus dheifrigh ar ais chuig Knapper. Amach thar bhruach leis an ngadhar agus trasna an uisce leis de léim amháin nó gur sheas sé amach i lár an loirg. Níorbh fhada ina dhiaidh iad na fir. Bhí brat an dorchadais spréite ar léithe na cloiche máguaird agus bhí sí anois ina hoíche cheart.

In imeacht cúpla nóiméad bhíodar taobh le Frayika. Rinne Knapper an raithneach agus na craobhóga a chrúbáil go séimh dá corp agus sheas sé siar ansin chun ligean do na fir aire a thabhairt di. Shín an duine ab airde den bheirt a thóirse chuig an bhfear eile agus d'ardaigh sé Frayika ina lámha. Sméid sé ar an bhfear eile an bealach a dhéanamh

trí na sceacha dóibh. Níorbh fhada iad ag baint a leasa féin
amach arís. A fhad agus a bhí na fir ag réiteach áit chuí
chodlata do Frayika bhí mná an leasa ag déanamh cúraim
den ghoin a bhí uirthi. Cuireadh raidhse tuí isteach i stoc
mór crainn a bhí tollta le fada acu agus a bhí ag luí i lár an
champa; bhíodh sé ina ionad spraoi ag na gasúir ón uair ar
baineadh é. Bheadh sé mar leaba anois ag Frayika.

A luaithe agus a cuireadh cóir leighis ar an ngirseach
leagadh i stoc an chrainn í, áit a raibh sin druidte suas le
hais na tine acu. Shuigh siad thart ag plé na ceiste. Cérbh í
an cailín seo? Cá háit as ar tháinig sí? Rinne duine de na
mná gruaig órga Frayika a mhéarú gach re seal, agus í ag
déanamh iontais den chaoi ar dhamhsaigh loinnir na tine
inti. Ní fhacadar a leithéid de dhathú riamh cheana, idir
ghruaig agus chneas. Dath donn a bhí ar ghruaig siadsan
agus bhí siad dorcha sa chraiceann, agus imir bheag deirge
mar luisne ina n-éadain acu.

Bhí Knapper ina luí le hais an stoic. Bhí a smig leagtha
aige ar an dá lapa tosaigh a bhí sínte amach uaidh agus
d'amharc sé go haislingeach ó dhuine go duine, na malaí á
n-ardú is á n-ísliú de réir dhul na cainte acu. Ba mhaith mar
a thuig sé uaisleacht an chomhluadair seo. De chasadh boise,
sheas a chluasa in airde agus tháinig beocht chun na súl air.
D'ardaigh sé a chloigeann agus, go sciobtha ina dhiaidh,
d'ardaigh sé é féin. Arís eile, an oíche eachtrúil seo, scaoil
sé uaidh ceann eile dá ghlamanna fada agus ar aghaidh de
rúid leis chomh fada leis an droichidín adhmaid a bhí ag
béal an áitribh. D'imigh gadhair na háite ina dhiaidh ar an
bpointe. D'éirigh na fir ar an toirt agus rugadar chucu a
gcuid arm troda. Seisear díobh a bhí ann, agus an bheirt a
tháinig i gcabhair ar Frayika san áireamh. Leanadar

Knapper go béal an champa. Glam eile ó Knapper agus glamanna go fras ansin ó ghadhair an áitribh.

Bhí siosarnach dhuilleogach le cloisteáil píosa uathu. Dheifrigh triúr de na fir trasna an áitribh arís agus lean a gcuid gadhar iad. Amach leo ar chúl agus é mar aidhm acu teacht aniar aduaidh ar na foghlaithe. D'fhan an triúr eile le Knapper ag béal an áitribh. Leis sin, chonacthas tóirse ag scairdeadh solais ina thonnta uaidh agus é thart ar chéad slat uathu. Bhí sé ag taisteal an loirg, anoir as ceantar áitreabh na bhfoghlaithe. Sheas an triúr a bhí ag droichidín an rátha isteach taobh thiar den dá chrann darach a bhí ag béal na háite. Gan an choinne ba lú acu leis, rith Knapper amach agus rinne go dian i dtreo an tsolais. Cé gur tháinig sin aniar aduaidh orthu, thuig na fir go gcaithfidis a n-ionsaí a dhéanamh anois. Scaoil siad béiceanna misnigh uathu agus iad ag fógairt catha, agus thug siad rúchladh faoin té a bhí ag iompar an tóirse. Bhí an triúr eile díobh, lena gcuid gadhar, ag teacht anoir chucu agus iad ar an ealaín chéanna. Go tobann, íslíodh an tóirse agus leath an solas ar Knapper, a bhí anois ag léim in airde agus é ar a sheacht ndícheall chun aghaidh an strainséara a lí.

"'Knapper, 'Knapper! Maith an gadhairín tú féin. Maith a' gadhairín!" arsa Emlik.

Bhí Emlik ar tí cuil a chur air féin chun aghaidh a thabhairt ar ionsaí na bhfear nuair a thuigeadar sin go raibh a mháistir aimsithe ag an ngadhar. D'ísligh siad a sleánna agus tháinig ceannaire na bhfear ar aghaidh agus sheas os comhair Emlik. Shnaidhm a súile dá chéile agus bhabhtáil Knapper ó dhuine go duine díobh agus é ag cuimilt a chloiginn de cheathrúna na beirte. Bhí gluaiseacht an ghadhair ag ealaín leis an solas, ag caitheamh scáthanna

ar éadain an chomhluadair. Shín ceannaire na bhfear a
lámh amach i dtreo Emlik agus thuig Emlik gur mar
chomhartha fáilte a rinneadh amhlaidh. Ghlac sé leis an
bhfáilte agus dhúnadar a lámha go dílis daingean thart ar
rosta a chéile.

"Fáilte," arsa cinnire na bhfear.

D'amharc Emlik air. Níor thuig sé caint an fhir seo, ach
d'aithin sé ar chroíúlacht an chroite láimhe agus ar aoibh
an éadain a bhí os a chomhair go raibh fáilte á cur roimhe.
Níorbh eol do Emlik ag an bpointe sin, ná do Chneasán féin
— ceannaire na bhfear — go raibh cuing chairdeas saoil á
buanú ar an láthair acu.

Tamaillín ina dhiaidh sin bhí Emlik ar a ghlúine taobh
lena dheirfiúr. Bhí sí tagtha chuici féin agus bhí meangadh
ar a gnúis agus í ag breathnú aníos air. Tháinig duine de na
mná ar aghaidh, rinne éadan Frayika a chuimilt le héadach
tais agus d'fháisc leiceann na girsí go cineálta mar
chomhartha misnigh di.

Cé gur baineadh siar as Emlik ar dtús, ba léir anois dó
go raibh Frayika slán sábháilte agus go raibh an t-ádh
dearg uirthi gurbh i measc a leithéid de dhaoine a thit sí.

Sméid Cneasán ar Emlik suí taobh leis cois tine.
D'ardaigh sé craobhóg agus rinne léaráid sa ghaineamh a
bhí le hais na tine. Léirigh sé suíomh a n-áitribh féin ann
agus cathair an dreama úd a thug fogha faoi Frayika. Shín
sé an chraobhóg chuig Emlik le go lonnódh seisean suíomh
a áitribh féin ar an léaráid.

D'ainneoin a ndeacrachtaí teanga, chuireadar iad féin in
iúl dá chéile le comharthaí. D'fhoghlaim Emlik faoi chlann
Chneasáin: go raibh ochtar fichead díobh ann, gur leosan
tráth an Chathair Mhór — dún cloiche, a bhí anois i seilbh

an dreama a rinne drochbheart na hoíche seo. Na Barbaigh a bhí mar ainm orthusan. Rinne siadsan Cneasán agus a mhuintir a dhíbirt go foiréigneach as an gCathair Mhór roinnt mhaith blianta roimhe sin. B'in mar a tharla iad a bheith anois san áitreabh ina raibh siad. Baile na hAille Báine a bhí mar ainm ar an áit nua, é sin toisc gile na haolchloiche san aill a sheas go dána soir ó thuaidh uaidh.

Trí úsáid na gcomharthaí d'éirigh le hEmlik insint faoina mhuintir féin, faoi mar a tháinig siad chun an cheantair sin, faoi bhás Relco agus faoi imeacht Darkon. D'fhoghlaim sé gurbh é a bhí mar ainm ag Cneasán agus a chuid ar an áit inar chuir muintir Emlik fúthu ná Loch Reasca. Cé, chomh fada agus arbh eol d'Emlik, nach raibh aon loch sa cheantar ina raibh sé, thuig sé go raibh codanna den cheantar nach raibh siúlta fós aige.

Bhí an fháilte chomh groíúil sin agus an chaint chomh bíogúil is nár airigh Emlik an t-am ag imeacht. Rith sé leis go tobann go raibh Alyana agus Raithnika sa bhaile i Loch Reasca i gcónaí agus iad ag fanacht go himníoch ar thuairisc ar Frayika. Chuile sheans, faoi seo, gur shíleadar go raibh an droch-chríoch chéanna ar Emlik agus a shamhlaigh siad a bheith uirthise.

Sheas Emlik agus anonn leis chuig Frayika. Bhí sí ina codladh arís. Bhí siad ar aon fhocal gurbh fhearr gan í a bhogadh, go raibh fíorchaoin fáilte roimpi fanacht i mBaile na hAille Báine, cuma cén t-achar a thógfadh sé uirthi teacht chuici féin arís. Chuaigh Emlik ar a ghlúine taobh lena dheirfiúr agus phóg sé ar an mbaithis í. Rinne Knapper, a bhí taobh léi ar feadh an ama, geonaíl — geonaíl na sástachta. Sheas Emlik athuair agus shín a lámh chuig Cneasán. Chroith siad mar a rinne siad cheana agus rug siad barróg ar a chéile.

"Tá mé an-bhuíoch díot, a Chneasáin, a chara liom," arsa Emlik.

"Go mba fada buan an cairdeas eadrainn," arsa Cneasán leis.

Cé nár thuigeadar na focail, thuigeadar ó shúile a chéile, d'ainneoin drochbheart an lae sin, nach mbeadh de thoradh ar an gcairdeas úr seo ach maitheas.

"Hup, a Knapper! Tar uait," arsa Emlik.

Thrasnaigh sé an droichidín, agus Knapper, an gadhar cróga dílis, ina dhiaidh. Ar an taobh thall den droichead stop an gadhairín soicind agus d'fhéach siar ar Chneasán agus ar a mhuintir. D'ardaigh sé a chloigeann agus, den uair dheireanach an oíche sin, sheol sé uaill fhada uaidh a raid amach trí chiúnas dorcha na hoíche. Leis sin, rith sé leis i ndiaidh a mháistir.

4
Cairdeas agus Pósadh,
Scéal Loch Reasca, Tubaiste

Tháinig an samhradh agus ina dhiaidh sin an geimhreadh, agus ina dhiaidh sin arís samhradh eile, geimhreadh eile, agus mar sin de nó go raibh mórán séasúr imithe ón uair sin ar tharla an droch-eachtra úd do Frayika. Bhí méadú tagtha ar an gcomhluadar cois Loch Reasca agus bhí gá, in imeacht ama, le go leor de na sceacha a bhí taobh leis an áitreabh a bhaint le go ndéanfaí spás don líon a bhí anois ann. Bhí muintir Bhaile na hAille Báine agus muintir Loch Reasca mar a bheadh aon chlann amháin ann, cé is moite den bhearna fhisiciúil a bhí idir an dá áitreabh.

Bhí fás ar chairdeas Chneasáin agus Emlik ó chéad-chasadar ar a chéile. Ba mhinic dóibh beirt agus dá muintir cuairteanna a thabhairt ar champaí a chéile, d'oibrigh siad le chéile, chuaigh siad ar an tseilg le chéile, roinneadar tarlúintí a chéile idir thrioblóid agus cheiliúradh. De bharr é a bheith níos sine ná Emlik agus toisc gurbh as an áit aolchlochach seo ó dhúchas é Cneasán — áit, mar a d'fhoghlaim Emlik uaidh, a raibh 'Boireann' mar ainm uirthi — bhí go leor le foghlaim ag an bhfear óg óna chara. Bhí nósanna na gCeilteach an-difriúil thar mar a raibh taithí ag Emlik agus a mhuintir orthu.

Bhí tríocha cúig samhradh curtha de ag Emlik faoin am sin agus bhí sé anois pósta le hOrla, deirfiúr le Cneasán.

Triúr clainne a bhí orthu — Relco, a ainmníodh i ndiaidh an tseanathar iontach úd nár casadh riamh air. Bhí seisean ard agus fionn agus bhí súile glé gorma a athar ina chloigeann aige. Deirbhile agus Sobharthan a bhí ar na hiníonacha. Bhí siadsan, mar a bhí an mháthair, níos dorcha ná na fir. Cé nach raibh ach an ceithre shamradh déag slán ag Relco, bhí cur amach thar na bearta cheana féin aige ar chúrsaí troda agus ar chúrsaí na seilge. Oileadh Deirbhile agus Sobharthan sna scileanna sin freisin — cinneadh cinnte a rinne an t-athair agus an mháthair go luath tar éis bhreith na gcailíní.

Ghlac Raithnika fear céile chuici chomh maith. Fearchú a bhí air, duine de gharghaolta Chneasáin, a raibh cáil air i ngeall ar a chrógacht. Ba mhaith mar a d'fheil an mháithreacht di: faoi seo, bhí iníon aici, Saoirse, agus mac ar ar thug siad Fionnán, agus bhí meascán tréan de thréithe a dtuismitheoirí le feiceáil orthu beirt. Bhí áitreabh dá gcuid féin bunaithe acu ar ar thug siad Lios an Rú — é suite ag bun Cheapán an Bhaile, an sliabh réimsiúil maorga a bhí siar píosa ó dhún Chneasáin. Níorbh fhada ann iad gur tháinig roinnt de lucht Bhaile na hAille Báine chun cur fúthu in éineacht leo.

Maidir le hAlyana agus Frayika, bhí siadsan i Loch Reasca i gcónaí. Bhí chuile chosúlacht air, áfach, go n-athródh saoil na beirte sin go luath chomh maith. Ba bhean óg fhíor-dhathúil ar fad í Frayika — í níos dathúla go fiú ná a deirfiúr. Bhí sí an-mhór go deo le hógfhear darbh ainm Fiachra, tréadaí a raibh cónaí air lena mhuintir in áitreabh i bhfad ó dheas. Ba é an tuairim choitianta é ná go n-imeodh Frayika leis sula i bhfad chun cur fúithi in éineacht lena mhuintir.

Bhí Alyana ag dul in aois. Ar feadh tamaillín, tar éis teacht na garchlainne, bhí beocht le feiceáil inti, ach le bliain anuas nó mar sin, bhí a hintinn ag rámhaille. Chloistí go minic i lár na hoíche í agus ainm Relco á scairteadh amach aici. Bhí nós an tsuansiúil cois srutháin ag méadú mar bhagairt uirthi i gcónaí. Shíl Emlik labhairt léi faoin bhfadhb seo lá.

"Is é an t-ainmhí atá ag tathant orm dul chuig Relco," ar sí.

"Éist, a Mhama, féach thart ort," arsa Emlik, agus rian an fhrustrachais go láidir air. "Níl aon ainmhí ann ach amháin iadsan atá mar thréad againn."

"Tá sé do mo mhealladh. Cloisim é agus mé i mo chodladh. Tá sé ina sheasamh amuigh ansin ar bharr Shliabh an Mhóinín agus é ag glaoch orm, ag rá liom go bhfuil Relco ag fanacht ar mo theacht."

"Níl, a Mhama, níl. Is í an tsamhlaíocht atá ag déanamh an diabhail ort."

Bhí Alyana bundúnach ina seasamh agus thuig Emlik go maith gur snámh in aghaidh easa é a bheith ag iarraidh a hintinn a athrú ar rud ar bith. Dhéanfadh an chinniúint a fómhar féin a bhaint in imeacht ama.

Um an dtaca seo ba í teanga Cheilteach Chneasáin agus a mhuintir a bhí á labhairt ag lucht Loch Reasca leis. Ba mhaith ba chuimhin le hEmlik an chéad oíche ar chuala sé í á labhairt, an oíche úd ar chasadar ar a chéile. Chuimhnigh sé ar an ngeáitsíocht láimhe a bhí idir é féin agus Cneasán, agus iad ag iarraidh ciall a dhéanamh dá chéile. Níor rith sé riamh leis go dtí an oíche sin go raibh bealaí eile caidrimh ann seachas a raibh aige féin. Ní raibh cloiste riamh aige ach a theanga dhúchais féin agus ní raibh fáth ar bith aige a cheapadh go raibh ceann ar bith eile ann. D'úsáid sé a laghad sin den teanga Nordach anois is nach bhféadfadh sé a bheith cinnte de go raibh sí ar a thoil aige i gcónaí.

Ceiliúradh Féile Lughnasa — féile mhór Lugh — ag Loch Reasca níos luaithe an bhliain sin. Tháinig siad ina sluaite ó Bhaile na hAille Báine agus as Lios an Rú chun a bheith páirteach sa cheiliúradh. Bhí rath ar na barra an bhliain áirithe sin. Chuir Emlik a dheich n-oiread gráinne i mbliana thar mar a chuir an chéad bhliain ann dóibh. Bhí botháin adhmaid an leasa ag cur thar maoil le méid an fhómhair. Ba é an dála chéanna ag Baile na hAille Báine agus ag Lios an Rú é. Níor bheag an t-ábhar buíochais acu é.

Mar sin, bhí an obair go léir curtha i gcrích, nach mór. Bhí siad ag druidim le Féile na Samhna, an tráth úd den bhliain ina ngéilleann an duine daonna cúrsaí an nádúir do na déithe. Ní bhíonn aon síolchur agus is beag seilg ar fiú trácht air a dhéantar. Bheadh an geimhreadh fada dorcha agus is beag taisteal a dhéanfaí idir na háitribh. Gheillfí a mbeatha don Daghda, Dia na Maitheasa, a raibh an uile chumhacht aige. Ar Oíche Shamhna thiocfaidis le chéile i mBaile na hAille Báine chun slán a fhágáil lena chéile agus leis an Nádúr.

Déanann Samhain snáth an dorchadais agus snáth an fhuachta a shníomh ar a chéile. Is é an tráth é go ndéanann na Spioraid gach dar thug siad don duine a athghabháil. In imeacht na mblianta, bhí cloiste as béal Chneasáin acu faoi mheasc-tharlúintí le tintreach agus scamaill agus faoi dhaoine á nglacadh mar íobairt ag an Daghda. Dá réir sin, ba le meas ar chumhacht na Spiorad a bhailigh na clanna le chéile i mBaile na hAille Báine.

"Tá céad míle fáilte romhaibh anseo, a chairde," arsa Cneasán, agus rug sé barróg an chairdis ar an an uile bhall den gcomhluadar as Loch Reasca. Tháinig gach aon díobh seachas Alyana. Ní raibh sí in ann chuige. Nuair a d'fhág siad Loch Reasca bhí sí ina codladh agus Knapper mar gharda lena hais. Bhí Knapper féin go mór in aois anois ach, mar sin féin, bhí sé gach pioc chomh dílis agus a bhí an chéad lá riamh.

Bhí muintir Lios an Rú i mBaile na hAille Báine rompu, iad ina suí timpeall na tine. Bhí sé tamall ó chonaic na clanna a chéile. Toisc flaithiúlacht an fhómhair, bhí siad go léir thar a bheith gnóthach agus chuir sin srian nach beag ar dhul ar chuairteanna ar a chéile.

"Cén chaoi a bhfuil Alyana?" arsa Fearchú.

"Ara, níl sí ar fónamh," arsa Orla. "Bheadh an t-aistear anseo anocht iomarcach ar fad di."

"Ní fada anois uaithi é an t-aistear is cinniúnaí ar fad," arsa Sobharthan, gan aon choinne ag éinne le caint uaithi.

Bhreathnaigh siad go léir uirthi. Cé nach raibh curtha di sa saol seo aici ach an dá shamhradh déag féin, bhí a fhios ag na clanna go raibh bua na fáistine aici. Bhí doimhneacht i súile a cloiginn a thug i bhfad thar theorainn an domhain seo í agus a las mar lóchrann ar thaobh eile na tuisceana.

Bhí chuile dhuine ina dtost. Bhí siad fós ag breathnú ar an gcailín óg. D'ainneoin gur beag seans a bhí ann go seasfadh Alyana an geimhreadh féin, ghin tairngreacht an pháiste míshuaimhneas iontu. Labhair Cneasán sula ndearna an míshuaimhneas ábhrú in intinn an chomhluadair.

"Seo, seo, a chairde! Ní chuige sin anocht muid, ach chun ceiliúradh a dhéanamh. Ábhar gairdis dúinn é ócáid na hoíche seo. Is iomaí oíche fhada dhorcha atá romhainn sula líonfaidh Imbolc, Dia glórmhar an Earraigh, úthanna na gcaorach dúinn arís."

"Is fíor duit é, a Chneasáin," arsa Raithnika.

"D'fhéadfá a rá," arsa Frayika. "Seo, ólaimis sláinte na Maitheasa," agus d'ardaigh an comhluadar a gcuacha, a bhí lán le deirge agus le teas an fhíona a rinneadh as caora na sceiche gile a d'fhás go flúirseach taobh leis an áitreabh.

Sheas Cneasán, d'ardaigh a chuach féin san aer agus dúirt: "Ceiliúraimis an Mhaitheas."

"An Mhaitheas," a dúirt an chuid eile d'aon ghuth.

Agus iad ag ól ar réimeas na Maitheasa, bhreathnaigh Emlik uaidh thar bhile an chuach agus leag súil ar an iníon ab óige leis. Leath miongháire ar bhéal an chailín. Ba pháiste fíorghrámhar í Sobharthan. Bronnadh bua na tairngreachta uirthi, ach bhí uaireanta ann nuair a léiríodh físeanna míthaitneamhacha di. Ag na hamanna sin d'airíodh sí ualach trom an bhua chéanna. Ba bhalsam intinne di é gur thuig a hathair di.

Thar mar a bhí d'fhéilte ceiliúrtha le blianta anuas i mBaile na hAille Báine ní raibh, i gcuimhne an uile dhuine díobh, sárú na tine a bhí os a gcomhair oíche na Samhna seo. Bhí na crainn, a rinne ciorcal ar an ráth, ag damhsa faoin solas agus bhí réaltaí na spéire ag breathnú isteach orthu, áit a raibh tanú tagtha ar an duilliúr os a gcionn. B'iontach go deo é an réiteach a bhí déanta ag Cneasán agus ag Mánla, a bhean, faoi choinne an chomhluadair. Bhí dhá ainmhí á róstadh os cionn na tine — caora, a roghnaíodh go speisialta as tréad Chneasáin féin, agus collach muice a rabhraíodh san fhiántas, is gan a fhios riamh ag an diabhal bocht go mbeadh sé ina ghréagán os cionn na tine, oíche seo na Samhna.

A fhad agus a bhí na daoine fásta ag ól agus ag déanamh comhrá cois tine, bhí na páistí i mbun cluichíochta ar chúl. Bhí seithe iora rua tairnithe ar chrann ag na páistí agus, duine i ndiaidh duine, chaitheadar sleá léi, féachaint cé acu ba ghéire súil. Bhí roinnt eile i mbun 'Scaoil amach an Gabhar', cluiche bíogúil a bhí múinte ag Fearchú dóibh. Agus bhí dream eile fós ar a seacht ndícheall ag iarraidh cnónna a bhí tite de na crainn a chur ar shreangáin.

Bhí an-atmaisféar go deo sa champa agus lúcháir ar na daoine agus iad ag baint taitnimh as comhluadar a chéile. Shiúil Cneasán amach as ciorcal na ndaoine fásta agus bhuail a bhosa ar a chéile.

"Seo, seo, a pháistí, gabhaigí i leith anseo. Tá sé in am ithe."

Bhí an fheoil gearrtha agus leagtha amach ar thrinsiúir mhóra adhmaid. Bhailigh na páistí isteach i measc na ndaoine fásta agus níor ann nó as iad. D'ith siad go halpach agus d'imigh siad i mbun spraoi arís, agus na daoine fásta fós i mbun cainte.

"A chairde," arsa Cneasán, é ag seasamh agus ag cur isteach ar chomhrá gach éinne. "Teastaíonn uaim focal nó dhó a rá."

Bhí siad ina dtost anois, iad uile, idir pháistí agus dhaoine fásta agus a súile dírithe ar cheannaire an rátha acu.

"Tá ocht samhradh déag tagtha agus imithe arís ó chuir mé aithne ar mo dhlúthchara Emlik. Ó shin, níl áireamh ar na gealacha a sheas os cionn na Boirne. D'fhás cuing an chairdis eadrainn agus, as sin, d'eascair cuing an chóngais. Thaobhaigh ár ndaoine chomh mór sin lena chéile agus tháinig méadú ar ár n-uimhreacha, sa chaoi, anois, gur trí ghrúpa ar leith muid agus sinn fós i ndlúthcheangal lena chéile."

Bhreathnaigh gach súil air agus croitheadh cloigne, iad uile ag léiriú gur aontaigh siad leis an ráiteas.

"Toisc gurb í seo Féile na Samhna, an tráth úd dá bhfágaimid slán leis an sean agus bímid ag súil lena bhfuil le teacht sa todhchaí, is mian liom cuing sin an chairdis a dheimhniú leis na bronntanais seo."

Chas sé ansin i dtreo Mhánla, a bhí ina seasamh taobh leis, agus thóg sé dhá bhronntanas uaithi.

"Is é seo," ar sé, agus d'ardaigh sé iodh óir rímhaisithe os a gcomhair, "Iodh Óir Ghleann Insín, seoid álainn fhíor-sheanda, a tháinig anuas chugamsa ó mo shinsir romham. De réir mar a dúirt ár sinsear, caillfear an iodh óir amach anseo, ach tiocfar arís air tar éis na gcianta, san uair ar fada sa chré muid féin agus sliocht ár sleachta leis. Agus, más fíor dár sinsear, aithneofar fós mar Iodh Óir Ghleann Insín é. Is faoi chumhdach Emlik a chuirimse anois é."

Tháinig Emlik chuige agus leag Cneasán an iodh gheal óir timpeall ar an muineál air.

"Agus seo," arsa Cneasán, agus, an babhta seo, d'ardaigh sé sleá a raibh cloigeann dorcha miotalach air, "comhartha an ama atá le teacht. Sleánna den déanamh seo a bheidh in áit na sleánna cloiche agus cré-umha dá bhfuil againn faoi láthair."

Shín sé an tsleá chuig Emlik agus scrúdaigh Emlik an eitseáil a bhí ar an gcloigeann. Ba faoi thuairim a rinneadh an eitseáil chéanna, ba chosúil, agus ní raibh an áilleacht nó an cheardaíocht a bhí le feiceáil ar an iodh óir le sonrú air seo. Ach, bhí an miotal crua, fíor-chrua, níos crua ná rud ar bith dár airigh sé riamh cheana.

Rug an bheirt fhear barróg ar a chéile agus ba léir ón monabhar cainte a d'eascair uathusan a shuigh ina dtimpeall gur láidre ná riamh é ceangal na gclann seo dá chéile. Níorbh fhada gur chas an comhrá ina amhránaíocht agus ina scéalaíocht. Insíodh scéalta agus tugadh amhráin nár chualathas, ar a laghad, ó Shamhain na bliana roimhe sin. Ansin, go tobann, tháinig sámhnas ar an gcaidreamh. Ba am den chineál úd é ar a labhraíonn daoine smaointe atá faoi rún i ndorchadas na hintinne le fada acu.

"Inis dúinn faoi Loch Reasca, a Chneasáin." Ba é Emlik a labhair.

"Céard é féin?" arsa Cneasán. Ba léir air gur tháinig iarratas Emlik aniar aduaidh air. "Céard é atá le hinsint faoi Loch Reasca?"

"Is cuimhin liom, roinnt mhaith samhraí siar, thart ar an uair ar chasamar ar a chéile, gur luaigh tú loch a bheith i gceantar Loch Reasca — rud a mbeadh súil ag duine leis, ar ndóigh. Ach, go nuige seo, ní fhaca mise oiread agus smut de loch ann."

Bhreathnaigh Cneasán go daingean ar a chara. Ba léir ar dhoimhneacht a shúile go raibh sé idir dhá chomhairle maidir lena mheon a nochtadh. Ar deireadh, labhair sé.

"Tá scéal ann," ar sé go mall, leath-fhaiteach, "ach b'fhéidir nach í an oíche anocht is feiliúnaí dá leithéid."

Bhí monabhar na díomá le cloisteáil go tréan ina measc siúd a bhí timpeall ar an tine. Ní hamháin go raibh spéis múscailte iontu cheana féin, ach bhí a fhios ag an domhan agus a mháthair gur sárscéalaí go deo é Cneasán.

"Ach, a Chneasáin," arsa Fearchú, "má bhí am feiliúnach riamh ann, nach é an oíche anocht é!"

Thug manrán an chomhluadair le fios go soiléir gur aontaigh siad le ráiteas Fhearchú. D'fhéach Cneasán i dtreo Emlik arís agus bhí rian an amhrais le haithint sna súile air.

"Maith go leor, maith go leor más ea," ar sé, agus d'ísligh sé é féin ar a ghogaide.

Dhún an ciorcal isteach níos daingne ar an tine. Rinneadar mhongháirí lena chéile, iad sásta leo féin gur éirigh lena n-iarrachtaí a chur ar Chneasán scéal Loch Reasca a aithris.

"M'athair a d'inis an scéal seo dom," ar sé. "A athair féin a d'inis dósan é agus fuair seisean roimhe sin arís é óna athairse. I bhfad ó shin, go leor leor samhraí siar uainn, nuair a tháinig ár sinsear chuig críocha seo na Boirne den chéad uair riamh, chuir siad fúthu, mar is eol daoibh go maith, beagán ó dheas ar an áit seo. Thóg siad caiseal cloiche ann, an Chathair Mhór, áit ina bhfuil conaí ar na Barbaigh sa lá atá inniu ann."

Bhí a fhios sin ag an gcomhluadar cheana féin, óir ní raibh duine ina measc nach raibh cur amach éigin ar na Barbaigh aige, ar an mbarbarthacht a bhain leo agus ar an ngá a bhí ann lena sheachaint ar feadh an ama.

"Bhuel, rud nach bhfuil ar eolas agaibh ach a bhfuil mise ag dul ag insint daoibh anois, is ea seo: go ndéanadh muide, agus gach ceann eile de na clanna a chuir fúthu sa cheantar seo, ár n-áitreabh a lonnú san áit ar a dtugaimid Loch Reasca, ach an rogha sin a bheith againn."

"Ach, cén fáth nár chuir an chlann s'againne fúthu ann?" a d'fhiafraigh duine dá shíol féin de.

"Foighne, a mhac," arsa Cneasán, agus níor túisce as a bhéal é ach gur aithin sé solas na tuisceana i súile Shobharthain, iníon Emlik. Shíl sé dó féin go mb'fhéidir go raibh sé imithe ró-fhada cheana féin agus gurbh fhearr, b'fhéidir, nach n-inseofaí an scéal ar chor ar bith. Ach bhí a fhios aige, dá n-éireodh sé as an insint go dtarraingeodh sé racht an chomhthionóil anuas air féin agus, níos measa fós, go bhfágfadh sé in amhras iad sa chaoi go mb'fhéidir go mbeidis ag cumadh nithe ina n-intinn a bheadh a dheich n-oiread níos measa ná fírinne ar bith a bhí le hinsint aige dóibh. D'ardaigh sé craobhóg a bhí ar an talamh taobh leis. Bhí brisce na haoise ar an bpíosa adhmaid. D'éirigh sé, shiúil amach píosa ón tine agus sheas tamaillín. Bhí a dhroim leis an gcomhluadar aige. Rinne sé an chraobhóg a bhriseadh idir na méaracha, chas agus d'íslígh é féin ar a ghogaide athuair. Dhearc sé sall ar Shobharthan, ach bhí na súile íslithe chun na talún aici. Thosaigh sé arís ón tús.

"I bhfad siar, mórán samhraí ó shin, nuair a tháinig ár sinsear chun críocha Boirne, bhí clann eile ann rompu, a bhí lonnaithe i gceantar Loch Reasca. Iascaireacht, idir abhainn agus fharraige, agus saothrú na talún méithe a bhí mar nósanna acu. Ba dhaoine iad, más fíor ar dúradh liomsa, a bhí séimh tuisceanach. Bhí luí acu leis an Nádúr, le gach a raibh thart orthu."

D'amharc an comhluadar seanóir seo na gclann go géar. Ní bheadh sé de dhánacht ag éinne díobh cur isteach air.

"Ar bhealach éigin nár míníodh domsa riamh, chuir duine d'ógfhir na muintire sin fíor-olc ar sheanchailleach a raibh cónaí uirthi sna tailte ó dheas. Deirtear gur chuir sí mallacht ar an ógfhear agus ar a mhuintir i ngeall ar an treascairt a rinneadh uirthi. 'Mallacht na nGabhar' a tugadh ar an mallacht seo a chuir sí orthu."

Níor mhallacht í Mallacht na nGabhar a bhí cloiste ag éinne sa chomhthionól riamh cheana. D'fhéach siad ar a chéile agus d'airigh siad creathán ag rith tríothu lena raibh de dheismireacht ginte ag scil inste Chneasáin. D'airigh siad griogaire beag úd an fhaitís iontu féin — é siúd a chuireann ort a thuilleadh a éileamh le go gcuirfí an fhuil ag rásaíocht trí na cuislí.

"D'imigh an t-am agus, má d'imigh, níor tugadh an smaoineamh ba lú féin don mhallacht sin a bhí curtha ag an gcailleach ar mhuintir Loch Reasca. Ansin, tharla oíche, roinnt blianta ina dhiaidh, go raibh muintir Loch Reasca bailithe le chéile ar Oíche Shamhna, díreach mar atáimidne anseo anocht. Thit an oíche go dorcha fuar ar an áitreabh agus, má thit, tháinig —"

"An Gabhar," arsa Sobharthan, agus chuir deimhneacht na cainte uaithi cosc ar Chneasán. Bhreathnaigh sé ar an gcailín, díreach mar a rinne gach éinne eile díobh. Thuig sé go raibh sí in ann a intinn a léamh agus chuir an tuiscint sin creathán tríd. Ba é an t-aon sólás a bhí ann dó ná gur thuig sé, mar a thuig gach éinne eile, gur thairngire í Sobharthan a bhí fréamhaithe sa Mhaitheas. Shín sé a dheasóg trasna chuici agus d'fháisc sé báine a láimhe leis. Lean sé air leis an insint.

"Sea, An Gabhar. Ach ní ceann amháin acu, ach tréad díobh, iad aclaí luathchosach ó bheith de shíor ag dul i ngleic le clocha achrannacha na Boirne. Agus a n-adharca! Adharca allta afrascacha. Tháinig siad faoi chiúnas na hoíche, san uair a raibh gach aon ina chodladh, agus réab siad isteach san áitreabh. Leag siad botháin agus potaí, stróic páistí as leapacha na hoíche agus rinne gríosach na tine a scaipeadh ar na barra a bhí stóráilte i gcomhair an gheimhridh. Nuair a bhí an slad sin déanta, bhailigh na gabhair le chéile i gceartlár an áitribh agus d'amharc siad i dtreo na haille aolchloiche atá, go dtí an lá inniu féin, ar an taobh thoir den áit sin." Agus chiúnaigh Cneasán soicind nó dhó.

"Ba ann a sheas sé — An Reithe Mór Dubh. Bhí scáil na gríosaí deirge ag damhsa sna súile ann. Bhreathnaigh sé anuas ar a ainbheart, d'ardaigh a chloigeann i dtreo réaltaí na hoíche agus scaoil méileach mheigeallach mhailíseach uaidh. Arna chloisteáil sin don tréad gabhar thíos, d'imigh siad le báiní tríd an gcampa. Rug máithreacha a bpáistí chucu agus tháinig na fir lena gcuid sleánna agus iad ag iarraidh an ransú a chosc. In imeacht chúpla nóiméad ní raibh fágtha ach na gabhair. Bhí chuile chorp, gach aon duine díobh — idir fhir agus mhná agus pháistí — sínte marbh, iad sáite, pollta ag adharca na ngabhar. Ba mhachaire dearg é dromchla an áitribh."

Bhí an comhluadar faoi gheasa ag insint Chneasáin ar an scéal — a súile leathan, a mbéal ar leathoscailt acu agus an uile fhocal ag cur leis an draíocht a bhí á himirt orthu.

"Bhí an Reithe ar an gcnoc i gcónaí," arsa Cneasán. "Arís eile, d'ardaigh sé a chloigeann i dtreo na spéire agus rinne méileach a thoirchigh dorchadas na hoíche. Go tobann, bhí creathán faoin talamh agus chualathas gliogar díoscánach uisce ag teacht as an áit inar ndearnadh an t-ár. Bhreathnaigh an Reithe anuas ar an láthair agus í ag líonadh le huisce. Gach neach, gach ní, gach uile rud dá raibh riamh san áit sin, bhí sé á bhá ag an díle. Nuair a bhí seo déanta d'ardaigh sé a chloigeann den tríú huair, rinne méileach eile agus d'fhéach i dtreo na láithreach arís. Bhí an díle cúlaithe, í imithe i ndísc ar fad, agus bhí gach rud mar a bhí roimh theacht toirmeascach na ngabhar … ach amháin nach raibh oiread agus rian ar bith de dhaoine nó d'áitreabh a bheith riamh ann. Bhí sé chomh hálainn glas torthúil agus a bhí an chéad lá riamh.

"Agus sin é, a chairde liom, scéal Loch Reasca."

Ba mhór é méid an chiúnais cois na tine. Gach a raibh i láthair, bhí siad faoi dhraíocht ag cumas aithrise Chneasáin agus cuireadh leis sin, ar bhealach nár bheag, sa mhéid is nach raibh an tráithnín ba lú den scéal sin cloiste riamh cheana acu.

"Ach, céard a tharla don Reithe mór dubh? Céard a tharla dó?" a d'fhiafraigh Fearchú de.

"Deirtear go ndeachaigh sé go hard sa sliabh agus go bhfuil a spiorad dorcha ag breathnú anuas i gcónaí ar Loch Reasca," arsa Cneasán.

"Agus an loch, a Chneasáin," arsa Emlik, "cá bhfuil an loch anois?"

"N'fheadar, a chara liom! Cá bhfios! Níl ann, dáiríre, ach scéal a cumadh ag ár sinsear chun na hoícheanta fada geimhridh a chur díobh."

Bhí ciúnas ina measc. D'éirigh leoithne áit éigin i bhfad uathu agus seoladh ar an aer aneas go Baile na hAille Báine í. Bhí siosarnach ag ealaín leis an duilliúr os a gcionn. Dhruid an comhluadar níos gaire don tine agus rinne siad a gcuid seithí a fhilleadh umpu. Ba láidre anois mar leoithne í. D'fhéach na clanna os a gcionn agus chonaic siad, trí na hoscailtí sa duilliúr, scamall scuabach ag alpadh réaltaí na hoíche. Leis sin, mar a bheadh iarracht ann an ruaig a chur ar an leoithne aneas, tháinig fleá ghaoithe de rúid anoir as Sliabh an Mhóinín agus rinneadh cuaifeach círéibeach den aer mórthimpeall Bhaile na hAille Báine. Méadaíodh ar an gcamfheothan anois, amhail is go raibh na haershruthanna in adharca a chéile, ag iarraidh a chéile a shárú. Bhí na duilleoga, a bhí sách tearc cheana féin, á scuabadh de na crainn agus bhí fuacht anois sa lios nach raibh ann roimhe seo.

Rinne an ghaoth deannach bán an teasa a shéideadh den ghríosach agus bhí deirge an fheannta le feiceáil uirthi. Rabhlaigh tormáil toirní go domhain íseal tríd an spéir agus rinne a bealach i dtreo Bhaile na hAille Báine. Ansin, phléasc méid a rachta agus chuir a raibh de dhuilleoga ann ina ghuairneán ar fud an bhaile. Shéid sé ina ghála ansin agus scuab an bháisteach ina rabharta orthu. Bhí na páistí sna botháin cheana féin agus lean na daoine fásta isteach anois iad.

Stealladh báistí, scuabadh gaoithe, scaipeadh duilleog ar feadh roinnt nóiméad agus ansin, chomh tobann céanna arís, bhí an uile ní ciúin. Bhí diamhracht sa chiúnas, an diamhracht chéanna a bhí in insint scéal Loch Reasca ag Cneasán. Leis sin, d'fhéach Sobharthan ar Emlik, d'fhéach Emlik ar Chneasán agus bhreathnaigh seisean ar ais arís ar Shobharthan. Bhí drochfháistine sna súile aici.

"Alyana," ar sí.

D'éirigh siad triúr agus amach as an mbaile leo go beo. Rith Fearchú agus Relco ina ndiaidh. Nuair a tháinig siad i ngaireacht an áitribh i Loch Reasca bhéic Emlik.

"Knapper, Knapper!"

Ní raibh aon fhreagra. Bhí a fhios aige ina chroí istigh nach raibh cúrsaí ina gceart. Isteach san áitreabh leo go beo agus rinne siad ar bhothán Alyana. Níorbh ann di.

"Knapper! Knapper — seo seo, a ghadhairín." Ba é Cneasán a ghlaoigh air an babhta seo, ach glam ná freagra de shórt ar bith níor tháinig.

"An sruthán!" arsa Emlik.

Bhreathnaigh na fir go himeaglach ar a chéile. D'airigh siad ina gcroíthe go raibh bunús le smaoineamh Emlik. Ach ba ag Sobharthan amháin a bhí a fhios go cinnte.

Luigh corp Knapper trasna ar chorp na seanmhná ag bun an bhruaigh. Saothar in aisce dó é an iarracht a bhí déanta aige ar í a shábháil. Thit Emlik ar a ghlúine taobh leo agus d'fhéach sé ar rian na n-adharc orthu. An rian ceannann céanna a fágadh ar cholainn Relco nuair a sciobadh uathu é. Sheas Emlik agus dhírigh a shúile ar an áit ar theagmhaigh an spéir le Sliabh an Mhóinín.

"An tAinmhí," arsa Sobharthan, agus í ag breathnú ar an mball céanna.

Chas an chuid eile agus d'fhéach siad uirthi.

5

Adhlacadh, Eolas ar na Barbaigh, Tragóid, Físeanna Shobharthain, Ionsaí ar Dheirbhile

Bhí siad go hard sa Bhoireann, soir píosa maith ón áit ar ar tugadh an Aill Bhuí, iad bailithe le chéile ag na Galláin Mhóra. Bhí pota cré ina lámha ag Raithnika, inar cuireadh luaithreach Alyana tar éis dóibh iad a bhailiú as an mbreocharn roinnt laethanta roimhe sin. Taobh léi bhí Frayika, agus luaithreach Knapper aicisin. Níor ghnách leo san adhlacadh an urraim chéanna a léiriú d'ainmhithe agus a dhéanfaidis i gcás an duine dhaonna. Ach bhí Knapper ina dhearthair agus ina athair, ina chara agus ina chosantóir ar an teaghlach le blianta fada. Ní raibh de dhifríocht eatarthu ach, san áit nach raibh ach an dá chos fúthusan, bhí ceithre cinn faoi Knapper, agus dá bharr sin, ba thapúla i bhfad é ná iad.

"Gabhaigí i leith," arsa Emlik lena dheirfiúracha.

Bhí próca cré-umha ina lámha aige, ceann a bhí níos mó fós ná ceachtar de na potaí cré a bhí á n-iompar ag na cailíní. Thóg sé soitheach Raithnika uaithi agus rinne an luaithreach a dhoirteadh isteach ina phróca féin. Rinne sé an rud céanna le hábhar pota Frayika. Ansin rinne sé an dá luaithreach a mheascadh tríná chéile sa phróca cré-umha: an t-ainmhí ina dhuine daonna agus an duine daonna ina ainmhí. Bhog sé go dtí an ceann thiar de na galláin mhóra agus d'ardaigh an próca miotalach in aghaidh órgacht na gréine ísle. Rinne sé cantaireacht ina theanga dhúchais féin agus d'íslidh an próca arís. Chas sé i dtreo na clainne agus, duine ar dhuine, tháinig Raithnika, Frayika, Cneasán agus Fearchú ar aghaidh, ghlac lán na láimhe de luaithreach as an bpróca agus chaith uathu chun na ceithre hairde é — ó thuaidh, ó dheas, soir agus siar.

Nuair a bhí sin déanta, leag Emlik an iodh óir a thug Cneasán mar bhronntanas dó isteach sa phróca. Thóg Raithnika, os í ba shinsearaí de na cailíní, an próca a raibh an iodh agus an luaithreach anois ann, shiúil isteach sa charn idir na galláin mhóra agus leag go cúramach in aghaidh an ghalláin chúil é. Lean Mánla í agus idir thoirc agus bhioráin á n-iompar aici, agus leag isteach sa phróca iad. Agus, ar deireadh, tháinig Frayika: leag sí bró taobh leis an bpróca, bró a bhíodh a húsáid leis na blianta ag Alyana chun arbhar a mheilt. Bhí snas aoise anois air.

Tháinig Cneasán go dtí Emlik. "Tá déanta agus déanta go maith," ar sé. "Bheadh Alyana sásta leis seo."

"Tá sí féin agus Relco in aon spiorad amháin faoi seo," arsa Emlik. "Is é a bhí uaithi ó d'imigh seisean uainn."

"Seo, fágaimis an áit chreagach seo anois, nó beidh sé ina oíche orainn. Tar uait," arsa Cneasán.

Síos le fána leo agus, tar éis tamaillín, tháinig siad go droim sléibhe, áit a raibh cosán le feiceáil taobh thíos de. Sheas Thor, an gadhar óg a raibh súil acu é a bheith chomh maith le Knapper féin amach anseo. Bhí sé ar chiumhais an droma sléibhe agus rinne sé geonaíl. Tháinig Frayika chuige, chrom agus chuir a leiceann lena chloigeann. Ba leanúnachas de chineal é an cion a bhí aici cheana féin don ghadhar seo ar an ngrá a d'airigh sí do Knapper.

"Na bíodh faitíos ort, a Thor, a chroí," ar sí, "ní bheidh ort léim."

Agus í á rá sin, d'fhéach sí uaithi trasna an taobh eile den chosán agus chonaic meall mór na gcoll, a bhí anois lomnocht, gan duilliúr. Go tobann, tháinig sé ina fís intinne chuici go raibh sí san áit seo cheana. Bhí sí díreach ar tí scread a ligean aisti nuair a d'airigh sí lámh ar a gualainn. Chas sí. Sobharthan, iníon a dearthár, a bhí ann. Leag sí cúl na láimhe ar leiceann Frayika.

"Bí ar do shuaimhneas, a Frayika. Ní baol duit."

Bhreathnaigh siad beirt uathu thar an gcosán agus chonaic, trí na crainn loma, ballaí clochacha liatha. An Chathair Mhór a bhí ann.

"Is é áit na mBarbach é," arsa Cneasán, a bhí tar éis teacht suas go ciúin taobh thiar díobh. "Bailimis linn as seo go réidh ciúin."

Ghluais siad leo agus d'imigh as radharc ar an gcosán, taobh thiar den mhullach aolchloiche.

Ghearr méileach fhada an phoic-ghabhair mar shaighead trí chiúnas na hoíche. Níorbh eol dóibh é, ach bhí siad faoi ghéardhearcadh ar feadh an ama.

Stop Emlik agus a chuid ag Baile na hAille Báine ar feadh scaithimh an oíche sin sular lean siad orthu abhaile. Pléadh go leor le linn dóibh a bheith ann, na Barbaigh ach go háirithe.

"Ní raibh aon bhaint againn leo ón lá úd ar ionsaíodh Frayika roinnt mhaith samhraí ó shin," arsa Emlik.

"Is mar sin is fearr," arsa Cneasán. "Ní thuigeann siad cóir ná ceart, ach a dtoil féin a dhéanamh."

"An mbíonn cur isteach ar bith oraibhse na laethanta seo agus sibh chomh gar dóibh is atá?" a deir Raithnika.

"Ní bhíonn, ná a dhath de ón uair a ruaig siad as an gCathair Mhór sinn," arsa Mánla. "Ach ní mór dúinn a bheith ar ár n-airdeall de shíor. Más deacair dóibh a bheith sibhialta dá chéile, ba mhór an dearmad againne é a cheapadh go gcaithfí go sibhialta linne."

Labhair Fearchú: "Chuala mé le déanaí go bhfuil cinnire nua orthu."

"Sea! Dubhán atá air," arsa Fiachra.

"Mar sin é!" arsa Frayika. Ba shoiléir go raibh iontas uirthi an cur amach seo a bheith ag Fiachra orthu, mar ní rud é a bhí luaite aige cheana. "Agus cén chaoi a ndéantar cinnire a roghnú orthu?" ar sí. "An é gur mac é leis an té a chuaigh roimhe?"

"Ní roghnaítear ceannaire de réir a gcórais siúd, agus tá siad beag beann ar mhac mhic, cuma cé hé féin," arsa Fearchú. Stop sé sa chaint ar feadh cúpla soicind agus bhreathnaigh sé go daingean sa treo ina raibh an Chathair Mhór. Bhí sé cruach-shúileach ina dhearcadh. "Leantar nósanna na heilce móire rua maidir le cinntiú ceannaireachta — modh an chomhraic," ar sé.

D'fhéach an chuid eile díobh ar a chéile agus ba léir ar a n-éadain go raibh iontas orthu a chloisteáil gurb amhlaidh a bhí. Bhí a fhios ag Cneasán, áfach, go raibh an ceart ag Fearchú.

"Troid go bás," arsa Fearchú, rud a chuir a thuilleadh leis an iontas agus a mhéadaigh ar an gciúnas.

"Is fíor a bhfuil ráite ag Fearchú," arsa Cneasán, "ach ní baol dúinne ar chor ar bith, a fhad agus a thugaimidne aird ar ár ngnó féin agus go bhfágaimid iadsan fúthu féin chomh maith. Ó dheas a dhéanann siad fiach agus tá a gcuid curaíochta ar fad sa mhóinéar torthúil ar an taobh thoir de Shliabh na hAille Buí."

"Ach caithfidh go —"

"Dóthain ráite, a Relco. Dúirt mé nach gá a bheith faiteach rompu," arsa Cneasán go grod. D'amharc sé ar mhac Emlik agus shíl sé míniú a thabhairt:

"Féach, is i nGleann an Mhóinín a shaothraíonn siad. Tá an talamh torthúil méith ansin agus níl bliain nach mbíonn farasbarr san fhómhar acu."

Bhreathnaigh Cneasán ina thimpeall. B'fhurasta an imní a aithint ar dhreach an chomhluadair. Ba é seo an chéad uair le fada fada an lá dá ndearnadar caint, arbh fhiú caint a thabhairt uirthi, ar na Barbaigh. Ní raibh i gCneasán féin ach stócach nuair a rinne na Barbaigh an Chathair Mhór a ransú. Díbríodh a mhuintir as — an méid díobh nár maraíodh. Ba mhaith ba chuimhin leis fíochmhaire an ionsaithe. Maraíodh a dheartháir Ultan san iarracht agus níor bheag é an nimh san fheoil a bhí ag lucht an dá chlann dá chéile riamh anall.

Ach ba é Cneasán ceannaire lucht Bhaile na hAille Báine agus, thar rud ar bith eile, bhí dualgas air breathnú i ndiaidh shábháilteacht a mhuintire. Díchiall a bheadh ann neirbhíseacht a chothú faoi eachtra a thit amach i bhfad siar, nó faoi rud ar bith a d'fhéadfadh tarlú amach anseo.

"Fágaimis siúd mar atá," ar sé.

Luigh a shúile agus súile doimhne feasacha Shobharthain ar a chéile. Leath miongháire ar bhéal an chailín. Ba den mhaitheas agus den tséimhe é an miongháire céanna, ach, ar fháthanna nár thuig ach Cneasán agus í féin, bhí sé imníoch thar ceann na clainne.

* * *

Tháinig an t-Earrach agus chuir Imbolc, dia glórmhar an tséasúir sin, a bheannacht ar Loch Reasca. Bhí úthanna na gcaorach ata le bainne. Bhí an talamh, ar cuireadh leis i gcaitheamh na mblianta, saothraithe agus réidh don síolchur. Ghabhadh Emlik amach go laethúil mar cheannaire ar na hóigfhir, chun na gabhair agus na muca allta a fhiach ar Shliabh an Mhóinín. Bhí úire agus díograis ina n-iarrachtaí anois, tar éis dóibh a bheith socair ar feadh an gheimhridh. Ag bun an tsléibhe, ar an taobh thoir, bhí Gleann an Mhóinín, an móinéar torthúil inar fhás na Barbaigh a gcuid barra. Bhíodh Emlik de shíor ag cur fainice ar na fir óga gan dul thar scríob ar na tailte sin.

Ach is minic dall ar ghaois na haoise iad a leithéidí. Tharla lá go ndeachaigh Fearghal, mac le hAoife, a bhí ina deirfiúr le hOrla, go bun an tsléibhe ar an taobh thoir. Bhí an chuid eile ag fiach na gcreimeach ar na sleasa uachtaracha agus Suibhne — athair Fhearghail — ina measc. Bhí fiosracht na hóige ar Fhearghal i gcónaí agus, seachas sin, bhí sé beag beann go maith ar chomhairle na seanóirí. Níor thug an chuid eile díobh — agus iad go hard ar na sleasa — faoi deara nach raibh Fearghal in éineacht leo. Choinnigh an stócach ceanndána air le ciumhais an mhóinéir threafa gur tháinig sé go sruthán. Ba é cuisle na beatha don mhóinéar é an sruthán seo. 'Luirc' a thug na Barbaigh air agus ba fhoinse thiomnaithe dóibh é. Chrom Fearghal agus ghlac mám den uisce úr as an sruthán. Bhí sé blasta tar éis a raibh d'obair curtha de an mhaidin chéanna aige. Chrom sé arís chun an dara mám a ghlacadh, ach, an babhta seo, cé go raibh gluaiseacht bhreá faoin uisce, chonaic sé scáil chloigeann an Reithe Mhóir Dhuibh ag breathnú aníos air as an uisce. Baineadh an oiread sin de gheit as is gur léim sé ar aghaidh ar leac mhín aolchloiche a bhí ar bhruach eile na glaise. Leis sin, phreab clár mór adhmaid, a raibh naoi gcinn de spící géara ag gobadh amach as, aníos den talamh agus chuaigh glan díreach tríd.

Níor tháinig uaidh ach aon bhéic phianmhar amháin. Chas an chuid eile a bhí ar na sleasa thart. Bhí siad ciúin ar feadh soicind nó dhó, ach ansin rinneadar ciall den mhéid a bhí le feiceáil thíos uathu.

"Ó, a thiarcais! Ná habair!" arsa Suibhne fána anáil, nuair a chuala sé an scréach. "A Fhearghail!" ar sé, de bhéic mhire agus d'imigh sé de bhocléimeanna an fána síos agus é ag déanamh go dian ar a mhac.

"Stop, a Shuibhne. Stop, a chomrádaí," a bhéic Emlik ina dhiaidh. Ach rinne Suibhne neamhaird iomlán dá cheannaire agus choinnigh sé air i dtreo a mhic.

Bhreathnaigh Emlik ar a mhac féin láithreach. "Cuir stop leis, a Relco. Cuir stop leis go beo sula dtiocfaidh an chríoch chéanna leis féin."

Ba fhear breá é Relco cheana féin, cé gurbh ar éigean a bhí an cúig shamhradh déag féin slán aige. Bhí sé gach pioc chomh haclaí agus chomh lúfar le hEmlik nuair a bhí seisean san aois sin. D'imigh sé de rúid i ndiaidh Shuibhne, é á ligean féin leis an bhfána chreagach agus ag déanamh go maith i gcónaí ar an gcéad fhear. Bhí Suibhne ag druidim leis an talamh mhéith nuair a tháinig Relco d'fhoighdeán air. D'ainneoin a óige, ní raibh an deacracht ba lú ag Relco é a choinneáil i ngreim faoi go dtí gur tháinig an chuid eile.

Bhí Emlik os a gcionn anois agus labhair sé go húdarásach. "Ní thig leat a dhath a dhéanamh faoi anois, a Shuibhne," ar sé. "Tá sé marbh. Cén chiall tú féin a chur i gcontúirt leis, a chara liom? Tig linn teacht ar ais arís istoíche agus an corpán a bhreith anoir go Loch Reasca ag an am sin. Ar an gcaoi sin, ní bheidh a fhios ag éinne beo muid a bheith ann nó as. Céard déarfá?"

Bhreathnaigh Suibhne ar Emlik. D'ainneoin loime chaint an cheannaire agus cé go raibh a chroí a shníomh go géar, thuig sé an ceart a bheith ag Emlik.

Ach níor friothadh corpán Fhearghail ina dhiaidh sin féin. Nuair a d'fhill siad ar an áit an oíche sin, ní raibh an rian ba lú d'Fhearghal ann, ná den chlár spíceach ar ar greamaíodh é. Chas an triúr acu — Emlik, Relco agus Suibhne féin — ar ais i dtreo an bhaile is gan a fhios acu an bhfaighfidis amach go deo faoinar tharla do chorpán an óigfhir. Ba thréimhse dhuairc bhrónach do mhuintir Loch Reasca í.

De réir mar a d'imigh an t-am, ba mhó comhairle a dhéanfadh Emlik a lorg ar a iníon, Sobharthan. Bhí sí i ngaireacht trí shamhradh déag d'aois faoi seo agus bhí méadú ar bhua na fáistine inti. Thug sí faoi deara, áfach, go raibh líon na bhfíseanna a raibh an duairceas agus an trioblóid mar chroí iontu ag dul i méid, agus gur lú ar fad díobh a bhí taitneamhach dóchasach. Ba mhinic di, d'ainneoin indearcadh ginireálta ar an todhchaí a bheith aici, gan a bheith in ann ciall chríochnúil shonrach a bhaint as na físeanna.

"Céard is cóir dúinn a dhéanamh i dtaobh chorpán Fhearghail?" a d'fhiafraigh Emlik di, lá a raibh siad beirt ag siúl le chéile ar chiumhais an áitribh.

Níor chuir Sobharthan aon fhiacail ann ina freagra. "Dada. An oiread dá laghad," ar sí.

"Dada!" arsa Emlik, le hiontas.

"Déanfar ár má théann tú ag cuardach an chorpáin. Léiríodh sin i mbrionglóid dom. Ach, má thugtar deis socraithe do chúrsaí ar feadh tamaill, tiocfar ar an gcorp arís … nó ar chuid de, ar aon chaoi."

D'ainneoin Sobharthan a bheith ag forbairt inti féin ar feadh an ama, níor bheag mar a chuir go leor dá físeanna as di. B'fhearr léi i bhfad béim a leagan orthusan a raibh an dóchas agus an mhaitheas iontu. Shín sí méar i dtreo phíosa talún a bhí amach rompu agus iad ag siúl.

"Is anseo, a Dheaide," ar sí go díograiseach, "a fhásfaidh planda a scaipfear ar fud an áitribh. *Raithneach* a thabharfar air in onóir Raithnika.

"Cén chaoi a—?"

"Agus anseo," ar sí, agus í ag cur isteach ar chaint Emlik agus ag imeacht amach píosa ó chiumhais an áitribh, "beidh planda álainn corcra, a bheidh chomh haoibhinn le Frayika féin. *Fraoch* a thabharfaidh mé ar an gceann sin ina honóirse."

"Hmmmm! *Raithneach* agus *Fraoch*," arsa Emlik, go smaointeach. "Tá mé cinnte go mbeidh gliondar ar Raithnika agus Frayika go n-áireofaí i measc bhláthanna áille na talún iad."

Leath miongháire an chineáltais ar bhéal Emlik. Thuig sé leochaileacht Shobharthain maidir leis na físeanna, ach chuir na tarlúintí éagsúla a bhain le básanna Alyana agus Knapper agus, go deimhin, le bás Fhearghail go mór leis an mbrú a bhí air féin. Níor bheag an bhuairt agus an imní a d'airigh sé dá mbarr.

Chuir sé a lámh thart ar shlinneán a iníne. "A Shobharthain, a stóirín," ar sé, "tuigeann tú méid an ghrá atá agamsa agus ag do Mhama duit, díreach mar is grá linn

Deirbhile agus Relco. Bhí an t-ádh leosan nárbh orthusan a thit ualach seo na tairngreachta. Tuigimid duit, a stór, tuigimid gur bua é agus gur mallacht é chomh maith, mar go gcaithfidh tú gach a léirítear duit a iompar i d'aonar."

D'éist Sobharthan go haireach lena hathair le linn cainte dó. Thuig sí le tamall maith anuas an tuiscint a bhí aige dá cás.

"Ach, a Shobharthain," arsa Emlik, "is am ar leith ar fad é seo, a bhfuil brúnna ar leith ag gabháil leis. Tá gá againn le comhairle, comhairle an té a fheiceann an rud nach léir don chuid eile againn. Impím ort, ní mar d'athairse amháin, ach mar cheannasaí an áitribh, má tá rud ar bith ann ar chóir domsa a bheith ar an eolas faoi, rud ar bith atá feicthe agat, b'fhéidir, é sin a léiriú dom."

D'imigh sí amach uaidh píosa agus bhreathnaigh sí i dtreo na sléibhte. Bhí sí ina tost go ceann tamaillín.

"Is minic rudaí léirithe dom san oíche," ar sí, "rudaí a chuireann as go mór dom."

Stop sí den chaint arís agus rinne a misneach a mhúscailt. Chas a hathair ina treo agus thuig sé ollmhéid na hiarrachta a bhí á déanamh ar a shon aici. Thuig sé freisin nár chóir cur isteach uirthi, mar go gcuirfeadh sin, ar deireadh, leis an íobairt a d'iarrfaí uirthi amach anseo.

"Tiocfaidh an t-am go luath nuair a bheidh ár muintirse go mór i gcontúirt. Is am é a bheidh —"

Go tobann, siar san áitreabh, bhí rírá aisteach ar siúl agus tháinig Orla de ruathar agus í ag béicíl, ag cur isteach ar chaint Shobharthain.

"A Emlik, 'Emlik," a scréach sí. "Gabh i leith, gabh i leith go beo. Tá Deirbhile i gcontúirt, tá Deirbhile i gcontúirt. Tá sí i gcruachás ar an sliabh. Tá Thor tar éis filleadh chugainn agus é seo ina bhéal aige," ar sí, agus bhí píosa den tseithe a bhí á caitheamh ag Deirbhile ina lámh aici.

Chas Emlik. Bheadh air insint Shobharthain a chur ar athlá. D'ainneoin gach cúram agus uile a glacadh chun í a spáráil ar an strus, bheadh pian na haithrise arís uirthi am éigin amach anseo. Dheifrigh Emlik i dtreo Orla.

"Cá bhfuil sí? Cá bhfuil sí?" arsa Emlik

"Ag na Galláin Mhóra," arsa Orla, agus shín sí chuige an tsleá chruamhiotalach a thug Cneasán dó an geimhreadh roimhe sin.

"A Relco, a Shuibhne, tagaigí liom," arsa Emlik, agus rinne sé ar an sliabh. Rug an bheirt eile greim ar a gcuid airm agus dheifrigh ina dhiaidh.

Lean súile Orla cúrsa na bhfear i dtreo na gcnoc liath. Tháinig Sobharthan taobh lena máthair agus rinne a lámh a fháscadh.

"Ná bí buartha, a Mhama," ar sí. "Tiocfaidh siad slán as seo."

* * *

Cuairt ar ionad adhlactha Alyana a thug ar Dheirbhile dul amach ar na sléibhte an lá sin. Bhí cúrsa sábháilte go dtí na Galláin Mhóra aimsithe le tamall maith anuas, rud a chiallaigh nár bhaol d'éinne é an t-aistear, go háirithe agus cáil na mBarbach ar a n-eolas acu. Ba chaolbhealach é a thrasnaigh Sliabh na hAille Buí agus ba air seo anois a bhí na fir agus iad ag déanamh ar Dheirbhile.

De réir mar a tháinig siad i dtreo na háite, d'aithin siad Deirbhile ina luí, í sínte béal fúithi ar cheann de leaca móra na Boirne. Ba go faiteach a tháinig siad ina treo. Ní raibh neach ná ní le feiceáil ina cóngar.

Bhain Suibhne agus Relco na saigheada as a mbolgáin olla agus d'fhill siad iad le cur mar adhartán faoi chloigeann Dheirbhile. Bhí fearb ghránna ar a clár éadain aici. Dheifrigh Emlik ar aghaidh píosa go dtí tobar ar creideadh uisce de thairbhe ar leith a bheith ann. Tháinig sé anoir arís agus rinne clár éadain Dheirbhile a fhliuchadh leis an uisce. D'oscail na súile de réir a chéile agus leath miongháire ar a béal ar aithint na n-aghaidheanna di. Rinne sí iarracht ar éirí, ach leag Emlik lámh ar a gualainn.

"Ná déan, a chroí," ar sé. "Tóg d'am. Glac go réidh é."

D'ardaigh sí a lámh dá baithis agus d'airigh an áit ina raibh an ghoin.

"Bhuail rud éigin sa bhaithis tú, a Dheirbhile," arsa Suibhne. Bhí a intinn lán de chuimhní ar ar tharla dá mhac féin tamall roimhe seo.

"Sea," ar sí, "san uair a shiúil mé isteach sa spás idir na galláin." Bhí na deora ina súile agus ba léir don triúr go raibh sí trína chéile.

"Tóg go bog é, a Dheirbhile," arsa Relco. Leag sé lámh faoina cloigeann agus rinne a gruaig a chuimilt go séimh.

Shiúil Emlik agus Suibhne isteach sa tuama féachaint an raibh fianaise ar bith ann ar a raibh tarlaithe istigh.

"A Relco, gabh i leith anseo," a bhéic Emlik.

Rinne Relco athchóiriú ar na bolgáin a bhí faoi chloigeann Dheirbhile agus tháinig isteach sa tuama chucu.

"Féach sin," arsa Suibhne leis an bhfear óg.

Bhí an próca mór cré-umha inar meascadh luaithreach Alyana agus Knapper ar a chéile in aghaidh an ghalláin chúil, agus é anois iompaithe bun os cionn. Ní raibh tásc ná tuairisc de na toirc ná de na bioráin órga a bhí leagtha ag

Mánla taobh istigh den phróca. Bhí iodh óir Ghleann Insín, ar thug Cneasán d'Emlik agus ar ofráil Emlik chun an Daghda, imithe freisin.

"Tá siad go léir imithe," arsa Deirbhile, a bhí anois ina seasamh i mbéal an tuama.

"Suigh síos, a Dheirbhile, a stór," arsa Emlik , agus leag sé a lámha ar a guaillí agus rinne í a ísliú chun na talún arís.

"Bhí mé istigh sa tuama," ar sí, "ag leagan an fhilléid chinn a bhí déanta mar íobairt chun an Daghda agam, nuair a leath scáth thar dhromchla an ghalláin chúil."

Bhí sí ag éirí beagáinín corraithe le hiarracht na hinsinte, ach ba leor an beagán tacaíochta le hí a choinneáil ag imeacht.

"Sea," arsa Relco. "Bhí duine éigin ann?"

"Sea, bhí," ar sí. "Chas mé thart agus b'in é os mo chomhair, é ard dorcha agus géaga ríthéagartha air."

Fós eile, bhí sí beagáinín corraithe. Thosaigh sí ag smeacharnach arís. Rinne Emlik iarracht eile ar í a shuaimhniú.

"Tá sé ceart go leor," ar sé, "tá tú slán sábháilte anois." Shuaimhnigh sí agus lean sí uirthi.

"A dhá chos a chonaic mé ar dtús, ansin lean mo shúile suas go dtí an cliabhrach é, agus ansin …" Agus thosaigh sí ag smeacharnach arís.

"Sea," arsa Suibhne.

"Agus ansin …" ar sí.

Leis sin, phléasc sí amach ag caoineadh agus d'fháisc Emlik a lámha timpeall uirthi. Bhí cúl a cinn á shlíocadh aige agus é á rá léi nár bhaol di a thuilleadh. Fuair sí guaim uirthi féin de réir a chéile agus chuimil sí na deora dá leicne.

"Agus ansin d'amharc mé ar a chloigeann," ar sí go lom

giorraisc. Bhí sáriarracht a déanamh aici gan ligean don chuimhne an lámh in uachtar a fháil uirthi arís. Mar sin féin, chaoin sí beagáinín, ach níorbh ionann é ar chor ar bith agus rabharta an challshaotha a bhí uirthi ar ball.

"Sea?" arsa Suibhne. "Coinnigh ort, a chailín."

Ina intinnse, shíl sé go mb'fhéidir gurbh é an duine céanna a chonaic Deirbhile ba chúis le bás a aonmhic féin.

Dhún Deirbhile a croí in aghaidh na harrainge agus labhair go cróga. "Cloigeann an ghabhair dhuibh a bhí mar chloigeann air."

Ar deireadh bhí sé ráite aici, ach bhain an iarracht an oiread sin aisti gur thit sí i laige i lámha a hathair.

"Cloigeann an ghabhair dhuibh?" arsa Relco, agus cuma na míthuisceana air. "Duine daonna agus cloigeann gabhair air! Ní féidir é," ar sé.

"Tá sí trína chéile ag an ngeit a baineadh aisti," arsa Suibhne, "agus is é díol an diabhail é an intinn a choinneáil díreach nuair is mar sin a bhíonn. Beidh sí i gceart arís nuair a chuireann sí dreas beag codlata di."

D'aontaigh Emlik le tuairim Shuibhne, ach ní dúirt sé aon cheo. Bhí sé ag cíoradh gach a dúirt a iníon. Ach an oiread le Sobharthan, ba chailín ciúin séimh í Deirbhile. Bhí sí cineálta agus, cé gurbh í ba lú clisteacht den triúr, ba í, b'fhéidir, an duine ba staidéartha díobh chomh maith.

Thiontaigh siad an próca ina cheart arís agus rinne an luaithreach a mhámáil ar ais ann chomh maith agus a d'fhéadfaidís. Ní raibh aon neart acu ar na píosaí órga a bhí imithe. Bhí, go fiú, an filléad cinn a bhí cumtha go speisialta ag Deirbhile faoi choinne na cuairte seo, tógtha ag an gcreachadóir.

Rinne siad triúr sealaíocht ar Dheirbhile a iompar ar an

mbealach ar ais go Loch Reasca. I rúndacht na hintinne, chíor gach aon díobh a raibh inste ag Deirbhile dóibh. Cé gur dhifriúil iad a smaointe agus modh a réasúnaithe, bhí siad á ríomh go mion, gach aon ar a bhealach féin. Meon an laoich óig a bhí ag Relco. Shíl sé gurbh é ab fhearr dó a dhéanamh ná an neach seo ar thagair Deirbhile dó a aimsiú le go dtroidfidis a chéile.

Ba é ba mhó a bhí in intinn Shuibhne ná díoltas a bhaint amach ar bhás a mhic agus, dá mba é a bhí dlite le sin a chur i gcrích ná aghaidh a thabhairt ar ionsaitheoir Dheirbhile, ba chuma leis sin a dhéanamh.

Agus Emlik. Emlik na gaoise. Emlik an t-athair. Emlik, ceannaire an phobail. É ina cheannaire i gcónaí. Níor den troid nó den díoltas é a mhachnamh. Ar shábháilteacht a mhuintire a chuimhnigh seisean, rud a bhí de dhualgas air a chinntiú. San uair a bhí an fhuil ar bruith ina gcuislí ag an mbeirt eile, á ngríosú chun catha, bhí stuaim na céille mar threoir ag Emlik. Bhí ciúnas séimh na hintinne ag léiriú dó, thar rud ar bith eile, an rud nár chóir a dhéanamh. Ba cheist eile fós dó é céard ba chóir a dhéanamh. Cá bhfios!

Dhéanfadh sé comhairle Shobharthain a lorg athuair.

6

Tinneas Shobharthain, Rún Fhiachra, An Tóir, Feall

Bhí Deirbhile i mbarr a sláinte arís, gan dua gan mhoill. Níorbh é an dála céanna ag Sobharthan é, áfach. Ba ar an lá céanna ar ar tharla an tionóisc úd do Dheirbhile is ea thosaigh Sobharthan ar a cuid físeanna a nochtadh. Toisc méid na hiarrachta intinne a chaith sí leis na fáistiní a léiriú, bhí sí fann lag agus daortha chun na leapa ar feadh ráithe. Bhí sí sínte ar feadh an ama agus b'éigean d'Orla agus do Dheirbhile freastal a dhéanamh uirthi.

Bhí Emlik cráite faoi Shobharthan a bheith tinn, mar ba mhaith a thuig sé gurbh eisean a chuir uirthi an méid a chonaic sí sna físeanna a insint dó. Murach sin, d'airigh sé nach mbeadh caill ar bith uirthi. B'fhaoiseamh nár bheag dó é, nuair a tháinig lár an tsamhraidh agus gais ghlasa an arbhair á síneadh féin, go raibh sí le feiceáil arís ag siúl ar fud an áitribh. Bhí loinnir ina súile nárbh ann dó le tamall maith anuas agus bhí úire i ndearfacht a cuid cainte.

Chinn Emlik, cuma céard a tharlódh, nach gcuirfeadh sé uirthi labhairt faoi chúrsaí conspóideacha arís. Bhí sí i bhfad ró-óg dá leithéid d'ualach. Ar chaoi ar bith, bhí Frayika agus Fiachra le pósadh go luath agus d'airigh sé gur chóir gach dúthracht a chaitheamh chun sonas na hócáide sin a chinntiú. Bhí deis éigin ghealgháireachta tuillte go maith ag an gclann lena raibh curtha díobh ón

Samhain i leith.

Bhí an tsástacht á húscadh go tréan as Frayika ar na mallaibh. Ní raibh lá ann nach raibh sí gafa le réiteach faoi choinne na bainise. Thagadh Fiachra chuig Loch Reasca i bhfad níba rialta na laethanta seo. Bhí cur amach aige ar nósanna na muintire agus ní raibh plean ná rún dá gcuid nár roinneadh leis. Ba mhaith mar a bhreathnaigh siad beirt le chéile — ise gormshúileach fionn agus eisean chomh donn leis an gcaor. Bhí sé ard agus bhí gach éinne ar aonfhocal go raibh sé dathúil leis.

Ba mhithid dóibh casadh ar mhuintir Fhiachra sula bhfad. Go fiú Frayika féin, ní raibh casta aici orthu fós! Thuig siad go raibh áitreabh mhuintir Fhiachra i bhfad ó dheas ar Loch Reasca agus nár cheadaigh géire an gheimhridh dóibh an t-aistear a dhéanamh chun castáil orthu. Ansin, ar feadh an tsamhraidh, bhí siad gafa le cúrsaí ainmhithe agus leis na barra. Nuair a thagadh Fiachra féin, go fiú, chaitheadh sé roinnt oícheanta ina measc agus ansin b'fhéidir nach bhfeicfidis arís é go ceann scaithimh eile.

Níorbh fhada uathu é baint an fhómhair agus, ina dhiaidh sin, phósfadh na leannáin. Faoin am a bhí cosa an tsamhraidh ag dul i léig bhí Sobharthan go hiomlán chuici féin arís. Go luath san Fhómhar, oíche a raibh gach éinne imithe chun na leapa, tháinig Sobharthan go bothán a tuismitheoirí. Toisc sonraí na bainise a bheith á bplé ag Orla agus Emlik, ní raibh siad ina gcodladh fós.

"Cé hé sin amuigh?" arsa Orla, ar chloisteáil an torainn lasmuigh den bhothán di.

"Is mise atá ann, a Mhama — Sobharthan," ar sí, agus chuir an iníon a cloigeann tríd an scoilt idir an dá sheithe.

"Ó, a Shobharthain, a chroí! Bhain tú geit asainn," arsa

an mháthair.

"Gabh i leith isteach, a stóirín," arsa Emlik.

D'éirigh sé den leaba thuí agus d'oscail na seithí ag béal an bhotháin. Shuigh Sobharthan taobh lena máthair agus thosaigh Emlik ar an tine, a bhí tamaillín taobh amuigh den bhothán, a athdheargadh. Níorbh fhada ina bun é nó bhí lasracha ag léim aisti athuair. Shuíodar timpeall na tine.

"An é nach féidir leat codladh a dhéanamh, a Shobharthain? Sceitimíní ort, is dócha, faoi bhainis Frayika a bheith ag teacht!" arsa Orla.

D'fhéach sí ar a máthair, ansin ar a hathair, agus d'ísligh a cloigeann chun labhairt.

"Sea, a Mhama, ní thig liom codladh a dhéanamh."

"Bhuel, tá beirt eile mar chomhluadar anois agat," arsa Emlik, agus rinne sé gáire mar gur shíl sé greann a bheith sa mhéid a dúirt sé. Ní dhearna Sobharthan aon gháire, áfach, ná an leathgháire féin, go fiú.

"Tá mé buartha," ar sí. "Tá imní orm faoi Frayika."

Bhreathnaigh Orla agus Emlik ar a chéile agus rian an scaoill sna súile orthu. Bhí faitíos orthu láithreach go mb'fhéidir, d'ainneoin an fheabhais a tháinig ar Shobharthan i gcaitheamh an tsamhraidh, go raibh ath-iompú ag bagairt uirthi.

"Céard tá á rá agat, a Shobharthain, a stór? Cén faitíos atá ort?"

"Tá mé go mór in amhras faoi Fhiachra," arsa Sobharthan.

Bhí cuma mhearaithe ag teacht ar Orla. "In amhras, a chroí!" ar sí. "Ach céard tá i gceist agat? Is iontach an fear é. Tá Frayika chomh sásta sin leis agus tá —"

"Fan go fóillín, 'Orla," arsa Emlik, ag cur isteach ar a

bhean. "Lig di labhairt." Chas sé ansin i dtreo an chailín óig. "Abair leat, a Shobharthain. Céard é an t-amhras seo atá ort?"

Dhearc Sobharthan ar Emlik. Bhí sé mar seo i gcónaí riamh. Sásta i gcónaí éisteacht a thabhairt do dhuine.

"Cén fáth nár casadh a mhuintir orainn roimhe seo?" ar sí. "Cén cur amach atá againn orthu? Cén cur amach atá againn ar Fhiachra, go deimhin, seachas an beagán a insíonn sé dúinn?"

"Ná bí seafóideach, a chailín," arsa Orla. "Tá sé —"

D'ardaigh Emlik a lámh chun Orla a stopadh. "Coinnigh ort, a chroí," ar sé. "Abair a bhfuil ar d'intinn agat."

Rinne Sobharthan a meabhair a chruinniú. Ise a tháinig chuig a tuismitheoirí an babhta seo, seachas iachall ar bith a bheith curtha ag Emlik uirthi. Thuig sí ina croí istigh go gcaithfeadh sí a raibh nochta i bhfís di a léiriú dóibh.

"Ní as na tailte ó dheas é Fiachra," arsa Sobharthan.

"Ara céard 'tá á rá agat, a leanbh!" arsa Orla.

Bhí Emlik ar tí a iarraidh ar Orla athuair cead cainte a thabhairt dá iníon, ach thuig Sobharthan féin an tábhacht a bhain le bheith lom díreach. Mar sin, labhair sí sula ndúirt Emlik dada.

"Is de na Barbaigh é."

"Céard é féin?" arsa Emlik. Ba léir uaidh gur bhain an ráiteas siar go dona as.

"Na bí ag rámhaille, a iníon liom, is as na tailte i bhfad ó dheas é," arsa Orla, agus, an babhta seo, bhí sí níos boirbe ina cur in aghaidh a hiníne.

Bhreathnaigh Sobharthan orthu beirt. Ba mhaith a thuig sí ar tharraing an nuacht seo de thrioblóid orthu, ach thuig sí chomh maith go raibh sé tábhachtach go gcreidfí í. Labhair sí arís, í ar a dícheall a bheith stuama, gan loiceadh uirthi féin.

"Is de na Barbaigh é. Léiríodh dom i bhfís tamall maith ó shín é."

"Ach, cén fáth nár luaigh tú roimhe seo é? An bhfuil tú cinnte de? B'fhéidir nach fíorfhís í!" arsa Emlik. Ach, ina chroí istigh, thuig sé nár thug sí a héitheach. Bhí a fhios aige méid na hiarrachta a thóg sé uirthi rud mar é a insint dóibh. Ghéill sé do ghaois na fáistine agus ghlac mar fhírinne í.

"Ach tuige nach ndúirt tú linn cheana é?" ar sé. An uair seo bhí tuin na cainte uaidh i bhfad níba shéimhe.

"Rinne mé iarracht. Go deimhin, ba bheag nár éirigh liom an lá úd ar gortaíodh Deirbhile ag bun na nGallán Mór."

Smaoinigh Emlik ar feadh meandair. Ar ndóigh, b'in é an lá ar thosaigh Sobharthan ag labhairt leis faoi na físeanna. Agus ansin bhí sí tinn ar feadh tamaill mhaith. Ó, a dhiabhail! Ar feadh an achair sin! Ón am sin i leith bhí uirthi an t-eolas sin a iompar i rúndacht a croí óig! Chaith Emlik a lámha timpeall ar a iníon agus rug barróg mhór uirthi.

"Ach, cén chaoi a mbeidh a fhios againn go cinnte faoi? Céard is cóir a dhéanamh?" arsa Orla, nuair a chonaic sí go raibh glactha go hiomlán ag Emlik le fírinne scéal Shobharthain. Bhí faitíos uirthi go ndéanfadh an nuacht seo Frayika a scriosadh. Bheadh sí croíbhriste.

"Caithfear é a leanúint. An chéad uair eile dá bhfágann sé Loch Reasca le filleadh ar a mhuintir, beidh gá lena leanúint," arsa Sobharthan.

"Déanfar amhlaidh, más ea, a Shobharthain. Tá an ceart agat. Níl aon dul as ach é a leanúint," arsa Emlik. "Tá mé sásta gur chuir tú an méid seo in iúl dúinn. B'fhearr, áfach, gan aon cheo a rá le Frayika go dtí gur féidir linn an scéal a chinntiú."

Ní raibh Orla in amhras a thuilleadh faoinar nocht Sobharthan dóibh. D'aithin sí creidiúint Emlik agus ba ríléir di diongbháilteacht Shobharthain. Tháinig sí chuig an gcailín óg agus rinne, mar a rinne Emlik roimpi, barróg a bhreith uirthi.

"Tá ualach óllmhór á iompar i do chroí le fada agat, a stóirín," arsa Orla. "Scaoil uait anois é. Tá do dhualgas déanta. Anois, siar a chodladh leat go beo."

D'fhill Sobharthan ar a bothán féin. D'fhill Emlik agus Orla ar a mbothán chomh maith, ach néal codlata níor chuir aon duine den triúr díobh ar feadh na hoíche sin. Bhí a raibh le déanamh acu ag luí go trom orthu.

* * *

Roinnt laethanta ina dhiaidh sin, siar go maith sa tráthnóna, bhí Fiachra á réiteach féin chun Loch Reasca a fhágáil. Bhí sé ar cuairt chucu ón uair a bhí corrán deiridh na gealaí sa spéir. Níorbh éasca d'Emlik agus d'Orla é scéal Shobharthain a choinneáil i ndaingean a gcroíthe, ach rinne siad mar ba ghá. Nuair a bhí Fiachra bailithe amach píosa ón áitreabh thosaigh Emlik agus Relco ar é a leanúint. D'fhan siad siar píosa maith uaidh le nach bhfeicfí iad. Ó am go chéile stopfadh Fiachra agus bhreathnodh sé siar, amhail is go raibh faitíos air go raibh duine éigin á leanúint. Lean sé air isteach sa ghleanntán ó dheas agus ar aghaidh i dtreo an chnoic chasta ar ar tugadh Cornán na Nathrach.

"Ach cén fáth a bhfuilimid á leanúint?" a d'fhiafraigh Relco d'Emlik.

Cé go ndearna Emlik agus Orla an cinneadh úd ar gan an scéal a scaoileadh a fhad is a bhí Fiachra fós ina measc, mheas Emlik gur chóir, toisc Relco a bheith san obair seo leis, an scéal a insint dó anois.

"Tháinig sé i bhfáistine chuig Sobharthan gur duine de na Barbaigh é."

"A thiarcais!" arsa Relco. Ba léir iontas an domhain a bheith air. Rinne sé beagán smaoinimh ar ar dúradh leis.

"Agus an fíor?"

"Is gearr go mbeidh a fhios againn, a mhic."

D'imigh siad thar Lios an Rú, áitreabh Fhearchú agus Raithnika, agus spás maith á choinneáil idir Fiachra agus iad i gcónaí. D'fhéach Fiachra siar ó am go chéile agus bhí ar Emlik agus Relco iad féin a thumadh san fhéar fada le nach bhfeicfí iad.

Stop Fiachra nuair a shroich sé barr Chornán na Nathrach agus d'fhéach ar ais sa treo as ar tháinig sé. Bhrúigh Emlik agus Relco a chéile isteach in aghaidh an chrainn a bhí ag an gcasadh deireanach den Chornán. Bhreathnaigh siad tríd an raithneach agus chonaic siad Fiachra ag imeacht den chosán agus ag bailiú leis de phocléimeanna thar na garraithe ó thuaidh arís. Suas leo féin, de rith, go barr an Chornáin agus d'fhéach siad ó thuaidh ina dhiaidh. Bhí sé ag treabhadh leis, é ag déanamh tríd an bhféar fada ar chiumhais an mhóinéir leathbhainte a shín amach uathu. Ní raibh an t-amhras dá laghad ann faoi cá raibh a thriall.

"Bhí an ceart ag Sobharthan mar sin," arsa Relco.

"Caithfidh mé a rá gur bheag amhras a bhí orm," arsa Emlik, agus lean a shúile aistear Fhiachra ar feadh an ama. Ansin chas sé i dtreo Relco athuair. "Anois," ar sé, "caithfimid é a leanúint agus iarracht a dhéanamh ar shleamhnú isteach sa champa, mas féidir é."

Bhí cuma bhuartha ar Relco. Shíl Emlik iarracht a dhéanamh ar mhisneach a thabhairt dá mhac, ach ba é an rud nár thuig seisean ná gurbh ar son a athar a bhí an imní ar Relco.

"Ná bí buartha, a mhic. Ní baol dúinn a fhad agus a fhanaimid sách fada siar uathu."

Bhí an oíche ag titim nuair a thrasnaigh Emlik agus Relco ballaí imeallacha na Cathrach Móire. Bhreathnaigh siad ó dheas arís i dtreo an Chornáin agus bhí tinte na hoíche le feiceáil á ndó i mórán áitreabh beag. Chaithfidis a bheith cúramach. Ní fhéadfaidis a bheith cinnte de nárbh de shíol na mBarbach iad muintir na n-áitreabh sin. Tháinig siad go príomhbhalla na Cathrach Móire agus bhrúigh siad ina choinne. Bhí siad in ann buillí croí a chéile a aireachtáil in aghaidh na cloiche. Ní raibh aon bhealach isteach sa champa ar an taobh seo agus bhí sé ró-dhainséarach Fiachra a leanúint go dtí bealach isteach tosaigh an áitribh.

"Beidh orainn an balla a dhreapadh," arsa Emlik.

D'amharc Relco air agus ansin d'fhéach siad beirt os a gcionn. Bhí airde triúr fear sa bhalla céanna.

"Tá smaoineamh agam," arsa Relco. Níor bhac sé lena mhíniú, ach, láithreach bonn, bhain sé na trí sceana seilge dá chrios agus sháigh an chéad cheann go diongbháilte isteach idir dhá chloch go híseal sa bhalla. Sháigh sé an dara ceann isteach ar airde an chliabhraigh agus, á n-úsáid sin mar chéimeanna, rinne sé an tríú ceann a thiomáint isteach ar leibhéal níba airde fós.

"Sín chugam do sciansa," ar sé le hEmlik, agus é ina sheasamh ar an dara céim.

Chaith an t-athair an scian chuige agus tharraing Relco é féin aníos ar an tríú ceann. Rinne sé scian Emlik a shá go feirc sa bhalla agus b'in aige an ceathrú céim. D'ardaigh sé a shúile go réidh cúramach thar bharr an bhalla, d'fhéach ar deis, ar clé, agus ansin síos arís i dtreo an athar.

"Tá sé sábháilte. Níl deoraí thart," ar sé de chogar.

Suas le hEmlik ar na céimeanna agus shín Relco lámh chúnta chuige, á tharraingt aníos go barr an bhalla ar fad. Bhí rian de ghlórtha ón gcampa ag teacht ar an séideán chucu. Bhí sceacha na gcoll idir iad agus an t-ionad cónaithe. Chrom siad, bhog go sciobtha isteach i measc na sceach agus luigh siad ar a mbolg, duine i ndiaidh a chéile. Arís eile, díreach mar a tharla ag bun an bhalla, d'airigh siad croí cuisleach a chéile ag bualadh go trom in aghaidh na talún.

"Cloígh liom," arsa Relco, a bhí chun tosaigh ar Emlik.

Cé gur chóir d'Emlik a bheith ag smaoineamh ar an obair a bhí idir lámha acu, ní fhéadfadh sé gan cuimhneamh ar an uair a bhí sé féin ar aon aois le Relco agus faoi mar a thosaigh a athair féin ar dheiseanna ceannaireachta a thabhairt dó. Thuig sé go mbeadh a údarás féin á scaoileadh le Relco de réir a chéile aige.

"Féach," arsa Relco, agus chroith sé a chloigeann i dtreo an áitribh istigh.

Istigh, cois tine, bhí Fiachra ina shuí. D'ainneoin teirce na nduilleog an tráth úd den bhliain, bhí gais na sceach chomh líonmhar sin is go raibh an bheirt fhear slán ar radharc Fhiachra. Ag an am céanna, toisc na scoilteanna idir na gais, bhí ar a gcumas ag Emlik agus Relco gach dá raibh i lár an áitribh a fheiceáil go soiléir glan. Bhí dhá ghadhar mhóra dhubha ina luí, bolg le talún, le hais na tine. Chomh maith leis sin, bhí go leor daoine ar fud an áitribh, iad isteach agus amach as na botháin éagsúla.

"Cén scéal agat dúinn as Loch Reasca, a Fhiachra?" arsa an fear a bhí ina shuí ar aghaidh Fhiachra ag an tine. Gruaig dhubh a bhí air agus ba léir ar leithead a shlinneán gurbh fhear mór ina sheasamh é.

"Tá siad i mbun an fhómhair ó éirí na gréine chuile mhaidin, agus geallaim duit nach beag é an fómhar céanna."

"Agus do bhainis-se, a Fhiachra," arsa an bhean a bhí sa chomhluadar, "níl siad in amhras fút ar chor ar bith, an bhfuil?"

"Diabhal a dhath de, a Shianáin, a dheirfiúr liom," arsa Fiachra. Agus rinne an triúr acu gáire tréan.

Chas Emlik agus Relco a gcloigne i dtreo a chéile. Bhí siad chomh fáiscthe sin san áit inar luigh siad gur bheag gur theagmhaigh a ndá shrón dá chéile.

"A dheirfiúr!" arsa Emlik. "Is nach ndúirt an slíomadóir le Frayika nach raibh deirfiúr ar bith aige!"

Chas siad i dtreo na tine athuair. Bhí an fear ba ghaire dóibh ina sheasamh anois. Fathach d'fhear a bhí ann, go deimhin, agus bhí seithe cheannaire á caitheamh aige. Ní raibh le feiceáil fós acu ach droim an fhir.

"Agus céard faoi na liúdramáin ag Baile na hAille Báine?" ar sé. "An minic dóibh cuairt a thabhairt ar Loch Reasca na laethanta seo?" Shuigh sé arís.

"Is ar éigean a fheictear ann ar chor ar bith na laethanta seo iad. Tá siad gafa le baint agus le cur isteach a bhfómhair féin, a Dhubháin," arsa Fiachra.

D'fhéach Relco agus Emlik ar a chéile arís. Bhuel, bhuel!
Ba é seo an Dubhán a raibh cloiste acu faoi! Chuimhnigh
Emlik ar an oíche úd i mBaile na hAille Báine nuair arbh
fhéidir le Fiachra ainm Dhubháin a thabhairt agus, ina
dhiaidh sin, ar an tost a tháinig ar an ógfhear. Bhí an scéal
á léiriú féin go soiléir anois.

"Tá mórán ama caite agam féin agus ag do dheirfiúr ag
plé —"

Cuireadh isteach go tobann ar chaint an fhir mhóir
nuair a thosaigh ceann den dá ghadhar ag gnúsachtach,
gnúsacht a tháinig aníos as ionathar a bhoilg. Thosaigh an
dara gadhar ar an obair chéanna agus sheas an chéad
cheann anos, agus an ghnúsacht ag casadh ina tafann.
Díríodh an tafann ar na sceacha. Bhí an dá ghadhar ina
seasamh anois agus iad ag bagairt ar na sceacha. Bhí
Fiachra agus Dubhán ar tí éirí nuair a labhair Emlik.

"Fágaimis seo go beo," ar sé.

Chas siad thart agus thosaigh siad ar a nglúine agus a
n-uillinneacha a oibriú go fíochmhar in aghaidh na talún
agus iad ag déanamh arís ar an mballa amuigh. Taobh thiar
díobh, san áitreabh, bhí an clampar agus an bhéicíl ag dul i
méid agus chloisfeadh an bodhrán féin tafann na ngadhar.
Bhí Emlik agus Relco ag druidim le ciumhais na gcrann coll
nuair a tháinig beirt de na Barbaigh de rith i dtreo a chéile
ar an mballa.

"Fan soicind," arsa Emlik, a lámh á hardú beagán aige
le fainic a chur ar a mhac.

Stop siad den lámhacán agus bhreathnaigh ar an mbeirt
Bharbach ar an mballa. Bhí tóirse an duine ina lámha ag na
Barbaigh agus shín siad amach thar chiumhais an bhalla

iad, féachaint an raibh a dhath lasmuigh den chaiseal.

D'fhéach Relco ar Emlik. "Fág fumsa é siúd ar clé," ar sé leis an athair.

Bhí solas na dtóirsí á scaladh féin orthu, agus rian na gcraobhóg á chur ag damhsa ar a n-éadan ag an solas céanna.

"Is dócha go gciallaíonn sin go gcaithfidh mise tabhairt faoinár gcara ar deis," arsa Emlik, agus leath meangadh ar a bhéal.

Ansin, rinne siad gáire, nó leathgháire go fírinneach, agus d'fháisc siad lámha a chéile. D'ardaigh siad a gcloigne an méidín ba lú, díreach mar a dhéanfadh sionnach roimh áladh dó, agus, leis sin, amach leo de rúid. Ní raibh súil ag ceachtar de na Barbaigh lena dteacht agus níorbh eol dóibh dada faoi go dtí gur scuabadh glan den bhalla iad. Teilgeadh amach iad ar na clocha géara a cuireadh mar sheastáin chosantacha chun cosc a chur ar choisíocht duine ar bith a dhéanfadh iarracht ar an áitreabh a ionsaí. Thuirling Emlik agus Relco anuas go trom ar an mbeirt. Maraíodh na Barbaigh ar an toirt agus rinne beirt Loch Reasca na tóirsí a mhúchadh láithreach bonn.

"Isteach linn san fhéar fada agus luímis socair tamaillín," arsa Emlik.

Rith siad leo isteach sa chuid sin den mhóinéar nár baineadh fós. B'fhada uathu clampar na Cathrach Móire anois, shílfeá. Tháinig ciúnú ar an rírá measartha sciobtha. Seachas an bheirt a scuabadh den bhalla, níor tháinig éinne eile de na Barbaigh chun cúl an chaisil a sheiceáil.

Luigh siad san fhéar go dtí gur airigh siad go raibh sé sábháilte dóibh déanamh ar Loch Reasca arís. Ní raibh gíog as an gCathair Mhór faoin am seo.

"Caithfidh go bhfuil siad ina gcodladh," arsa Relco de chogar, agus d'ardaigh siad a gcloigne os cionn an fhéir. Bhí cuma dhá easóg ag breathnú thar bhalla orthu.

"Is dócha é," arsa Emlik. "Tá chuile shórt socair ach, mar sin féin, b'fhearr dúinn an sliabh a thrasnú go dtí an taobh eile den Chathair Mhór, seachas dul ar ais tríd an bhféar. Ní fhágfar rian na gcos in áit ar bith ar an dóigh sin."

Dhreap siad leo Sliabh na hAille Buí agus thaistil píosa maith soir sular chas siad ó thuaidh arís. Bhí sé dorcha go maith, ach ba chuidiú dá gcoisíocht é glaine na spéire agus liathbháine na haolchloiche.

Bhí cur amach nár bheag acu ar an gceantar ina raibh siad anois, agus fios a slí tríd an scabhat sa charraig ar chúl na bpluaiseanna acu. Bhí siad ag dul le fána tríd an scabhat agus ag druidim le béal na pluaise móire nuair a chonaic siad an pocghabhar dubh, Reithe an tsléibhe, ag teacht ar aghaidh as an dorchadas agus ag seasamh amach go dána ar leac mhór fhairsing.

"Fainic, fainic," arsa Emlik, agus shín sé lámh trasna ar chliabhrach Relco, á stopadh sa siúl. "Bhí oiread trioblóide anocht againn is a dhéanfaidh go ceann i bhfad sinn."

Sheas an Reithe agus a chloigeann in airde aige, é mustrach nach mór, agus an domhan mór faoina shúil aige. Chroch sé an cloigeann níos airde fós agus thit a mheigeall ina snáthanna in aghaidh ghile na gealaí. Rinne sé méileach — fógra fada fealltach, a raid amach i ngléine na hoíche — agus chualathas gliogar gloinceálach na gcrúb in aghaidh na cloiche. Tháinig gabhair de chuile chineál — céad díobh, nó níos mó, amach ar aillte an tsléibhe. Raid méileach an Reithe Dhuibh amach arís san oíche agus d'fhreagair na gabhair eile dó de mhíbhinneas drochthuarach. Fógra scoir ón Reithe agus d'imigh leis de phlimp an sliabh anuas, agus an slua gabhar ina dhiaidh. Níorbh fhada go ndeachaigh gliogar na gcrúb i léig agus ní raibh an t-iarsma ba lú féin de na gabhair ghraifleacha le feiceáil — iad bailithe leo, is dócha, chun díobháil oíche a dhéanamh in áit éigin.

"Táimid slán, tá siad bailithe leo," arsa Emlik.

B'in faoiseamh dóibh ar chaoi ar bith. Bhog siad amach ón gcarraig lenar thaobhaigh siad le linn na bagartha. Ghluais siad leo go bun an tsléibhe agus trasna na bpáirceanna leo i dtreo Loch Reasca.

B'ábhar iontais é, ar shroicheadh Loch Reasca dóibh, go raibh chuile dhuine fós ina suí cois tine. Ar fheiceáil Emlik agus Relco di, tháinig Orla faoina gcoinne chun fáilte abhaile a chur rompu.

"Cén scéal?" ar sí de chogar le hEmlik, agus iad ag siúl i dtreo chroí an áitribh.

"Tá sé mar a d'fhógair Sobharthan," arsa Emlik.

Chuir Orla stop le siúl a fir céile sular shroich siad ceartlár na háite.

"Tá ár n-amhras curtha in iúl do Frayika agam," arsa Orla. "Mar sin, a Emlik, ní thiocfaidh an drochscéal aniar aduaidh go hiomlán uirthi."

"Tá beart maith déanta agat más ea, a stór," arsa Emlik léi.

Shuigh Relco agus Emlik cois tine agus d'aithris siad eachtraí na hoíche don chomhluadar. D'eascair ráitis éagsúla as an bhfearg a bhí i gcroíthe na n-éisteoirí. Ba chóir an bithiúnach a mharú, a dúirt cuid acu. Dá ndéanfaí é a mheas, nach raibh chuile dhiabhal rún dá raibh i Loch

Reasca acu sceite ag an bhfeallaire leis na Barbaigh! Cé aige a bheadh a fhios céard a bhí agus céard nach raibh ar eolas acu!

Bhí roinnt eile den chomhluadar nach raibh chomh teasaí sin, a bhí den tuairim gurbh leor é a chur chun bealaigh, é a dhíbirt agus a chur ar an eolas go raibh a fhios acu go rímhaith an drochbheart a bhí déanta aige. Mar a tharlaíonn i gcónaí riamh i gcás mórán daoine agus mórán tuairimí a theacht le chéile, tháinig faobhar ar an gcaint. Dá mhéid a dúradh sea ba lú a chualathas. Leis sin, labhair Sobharthan agus bhí chuile neach ina thost.

"Ní gá plé ar bith ar céard is ceart a rá nó a dhéanamh faoi Fhiachra. Ní fheicfear san áitreabh seo *ina aonar* arís é."

Bhreathnaigh siad go léir ar a chéile. Ní fhéadfaí gan an bhéim a bhí leagtha ar na focail 'ina aonar' a thabhairt faoi deara. Labhair Emlik thar ceann na muintire.

"A Shobharthain, deir tú nach bhfeicfear Fiachra 'ina aonar' anseo arís. An bhfuil a thuilleadh le cur leis sin agat?"

Ba go cáiréiseach a labhair sé, mar theastaigh uaidh a bheith dílis don chinneadh a bhí déanta tamall ó shin aige gan aon bhrú a chur ar a iníon.

"Tá sé feicthe ar chúl na súl agam, an áit ina bhfuil sé de chumhacht ag an bhfáidh an solas a leathadh ar dhorchadas na hinchinne. Tarlóidh sé in am an dorchadais, san uair ar aonad iad an Talamh, an Ghealach agus an Ghrian. As an gcarraig a thiocfaidh siad agus lasracha agus iarann mar airm inár gcoinne acu, agus déanfaidh Sí a meonta a riar agus a mháistriú. Agus déanfar slad agus scrios."

Chrom Sobharthan ar aghaidh ina cnap agus rinne a gruaig dhorcha eas di féin ar dhá thaobh na baithise. Bhí sí spíonta.

"Cén chiall atá leis seo?" arsa Relco. "Cén chaoi ar féidir an Talamh agus an Ghealach agus an Ghrian a bheith ina n-aonad?"

"Cé hiad seo a thiocfaidh le hiarann agus le lasracha? An iad na Barbaigh atá i gceist?" arsa duine eile.

"Cé hí an 'Sí' seo a dhéanfaidh máistriú agus riar ar mheon?" arsa an tríú duine.

Ní dhearna Sobharthan iarracht ar an uile cheist a fhreagairt. Lig sí don chuid eile iad féin a thuirsiú lena gcaint agus, nuair a bhí sin déanta, labhair sí arís leis an gcomhluadar.

"Níl a fhios agam. Feicim, cé nach dtuigim," ar sí, agus bhí a glór lag spadánta.

Sula mbeadh samhradh eile curtha díobh acu, bheadh fios fátha an scéil acu.

7

Ár agus Marú, Faoistin Emlik agus Relco, Cíoradh na Fáistine, Réiteach don Troid

Maidin lá arna mhárach, nuair a bhí an ghrian fós á tarraingt féin aníos thar líne spéire an tsléibhe, bhí chuile dhuine, seachas Emlik, ina gcodladh. Bhí sé ina lá, nach mór, nuair a chuaigh siad chun na leapa agus, go deimhin, murach tafann leantach Thor, bheadh Emlik féin fós ina chodladh.

"Luigh síos, 'Thor," a bhéic sé ón mbothán.

Níor chuir sin aon stop leis an ngadhar. Go deimhin, sé'n chaoi gur éirigh an tafann níba láidre agus níba phráinní ar bhealach. Ar deireadh, thuig Emlik go raibh an codladh agus Thor ag déanamh cogaíochta lena chéile agus gurbh í an chailliúint a bhí i ndán don chodladh. Chaith sé uaidh an tseithe olla agus tháinig go béal an bhotháin.

"In ainm na ndéithe, an ndéanfása an diabhal draid sin a …"

Stop Emlik dá chaint ar oscailt an bhotháin dó. Amach roimhe, i measc na gcrann, píosa maith ón áitreabh, bhí deatach trom dubh ag éirí sa spéir. Chroith sé a chloigeann, ghlan sram an chodlata as eireaball na súl air agus d'fhéach níba ghéire an uair seo. Baile na hAille Báine! Ba as Baile na hAille Báine a bhí an deatach ag teacht! Isteach go beo sa bhothán leis arís.

"A Orla, 'Orla, éirigh. Éirigh, a bhean! Baile na hAille Báine," a bhéic sé. "Tá sé trí thine, tá sé trí thine."

Bhí Orla mall drogallach ag teacht chuici féin.

"A Orla, 'Orla, an gcloiseann tú mé? Tá Baile na hAille Báine trí thine," ar sé go fraochta, agus an babhta seo rinne sé í a chroitheadh nó gur dhúisigh sí i gceart. Leis sin, rith sé as an mbothán agus ainm Relco á scairteadh go hard aige. Níorbh fhada é Relco ag teacht chuige.

"Dúisigh iad, dúisigh iad. Cuir as na botháin iad," a bhéic Emlik leis.

Rinne Relco mar a dúradh leis agus, de réir mar a tháinig siad go codlatach as na botháin, b'fhacthas, amuigh ar imeall an áitribh, Cneasán agus a mhuintir — nó a raibh fágtha díobh — ag déanamh ar an áit. Bhí siad ag siúl go mall, cuid acu ina dtaca ag an gcuid eile sa siúl. Idir mhná agus pháistí — iad gonta dóite — á n-iompar ag roinnt eile. Lánchairt de chorpáin á tarraingt ag seisreach dhamh agus an fhuil ag dearg-shileadh go fras uathu. Bhí cosa agus lámha ag liobarna trí na hoscailtí i dtaobhanna na cairte, na méara ag cuimilt barra an fhéir sa taisteal.

"Ná habair, ná habair!" arsa Emlik, agus é ag breathnú amach ar a ghaolta ag teacht ina threo. Dheifrigh sé chucu agus níorbh fhada ina dhiaidh iad Orla agus an chuid eile.

Nuair a chonaic Cneasán go raibh Emlik ag teacht chuige chuir sé stop le máirseáil a mhuintire féin agus d'fhan ar theacht a charad.

"Na Barbaigh!" arsa Cneasán. Níor ghá a thuilleadh a rá.

Tógadh na daoine gonta agus cuireadh cóir leighis orthu. Réitíodh leapacha, bogadh ainmhithe, rinneadh botháin a fholmhú agus athlíonadh arís iad le coirp leath-

stróicthe mhuintir Bhaile na hAille Báine. Caitheadh fad an
lae ag ísliú na gcorpán den chairt agus á gcur, de réir an
fhaisin nua Cheiltigh, in ithir ghlasliath na talún. Réitíodh
trinse mór fairsing lastuaidh den áitreabh faoi choinne na
hoibre sin. Chualathas caoineadh agus olagón ar feadh an
lae agus leanadh de sin i bhfad isteach san oíche. Lá duairc
dubh. An lá ba dhuairce agus ba dhuibhe i gcuimhne na
ndaoine.

Bhí Cneasán ag obair leis i measc a mhuintire ar feadh
an lae. Ba mhór ar fad í a chailliúint féin. Thit Mánla, a
bhean dhílis féin, san ár. Mánla chaoin, Mánla shéimh,
Mánla na huaisleachta — tháinig chuile ghné dá háilleacht
chun cuimhne chuige, á chrá níos mó, ag gearú ar an bpian
a bhí ag creimeadh an chroí ann. Ba chuimhin leis an chéad
uair riamh dá bhfaca sé í, an oiread sin samhraí ó shin agus
an tarraingt a d'airigh siad dá chéile láithreach. Ba
chuimhin leis an gean agus na huaireanta a rinne siad
buairt a chéile a iompar. Páistí agus páistí a bpáistí. Gaois,
séimhe, neart, caoine — ba chuimhin leis ar fad é. Bhí sé sin
thart anois agus ní raibh i gCneasán ach scáil.

Tháinig an oíche. Líon na réaltaí an spéir agus shuigh
Cneasán go smaointeach cois na tine. Dhearc sé trasna an
áitribh ar an áit inar luigh a Mhánla-sa faoi dhorchadas na
cré. Shamhlaigh sé an anáil fós inti, miongháire fós ar a béal
aici. B'fhéidir, ar ball beag, go ndúiseodh sé agus go
bhfaigheadh sé amach gur bhrionglóid a bhí ann agus go
mbeadh Mánla taobh leis i gcónaí — í ina sámhchodladh, í
suaimhneach inti féin.

"Bíodh misneach agat, a chara. Tá breis agus dícheall
déanta agat."

D'airigh Cneasán láidreacht lámh Emlik air agus na

focail sin á labhairt ag a chara leis. Rinne lasracha na tine buí-dhamhsa i súile Chneasáin agus chuir a n-íomhá tiús sna deora a bhí ar an leathleiceann leis. Bhí an uile ní ina shuan agus na mairtírigh ina gcodladh sna botháin thart orthu. Ba dhoimhne fós é codladh na marbh in ithir na síoraíochta. Ciúnas i ngach aon áit máguaird. Gan de ghleo ach monabhar bog na ndaoine ina suí cois tine.

"Ní thuigim é," arsa Cneasán faoina anáil, "ní thuigim céard a thug orthu é a dhéanamh agus tar éis an oiread sin ama a bheith imithe gan achrann ná teagmháil eadrainn. Cén fáth go ndéanfaidis a leithéid orainn? Tá sé domhínithe."

Má bhí easpa tuisceana ar Chneasán, ba rímhaith a thuig Emlik agus Relco intinn a chéile. Cé nár labhair siad lena chéile faoi, ba é ba mhó a bhí ina n-intinn acu ar feadh an lae, agus na marbháin á gcur acu, ná gur dhíoltas é seo a bhí á imirt ag na Barbaigh toisc gur cuireadh as dóibh sa Chathair Mhór an oíche roimhe sin. Bhí an náire a d'airigh an bheirt acu ina chiontacht, nach mór. Cé go raibh Cneasán ag leanúint de chíoradh an scéil, bhí an bheirt acu bodhar ina láthair. Bhreathnaigh an t-athair ar a mhac agus labhair na súile lena chéile.

"B'fhéidir go bhfuil a fhios againne céard ba chúis leis, a Chneasáin," arsa Emlik.

"Cén chaoi sin?" arsa Cneasán. Ba mhó a aird anois ar an gcuid eile, seachas mar a bhí nuair a bhí sé ag cogarnach leis féin.

"B'fhéidir go bhféadfaimisne soiléiriú éigin a thabhairt ar ar tharla," arsa Emlik arís.

D'inis Emlik go sonrach dó faoi na físeanna a bhí ag Sobharthan agus faoi mar a rinne sé féin agus Relco Fiachra a leanúint chun na Cathrach Móire; ansin eachtraí na hoíche sin agus an rírá in áitreabh na mBarbach nuair a thosaigh na gadhair ag tafann. Bhí faitíos ar Emlik le linn dó a bheith ag caint go ndéanfadh Cneasán an milleán faoin slad a chur airsean. Nuair a bhí deireadh ráite bhreathnaigh gach éinne ar Chneasán. Bhí teannas sa chiúnas agus luigh an fanacht orthu. Labhair Cneasán ar deireadh.

"Dá mba é seo ba bhunús le fearg na mBarbach," ar sé, "níl ann ach gur cúis seachas cúis éigin eile acu é."

Bhreathnaigh an comhluadar ar a chéile. Ba léir an faoiseamh ar gach éadan. Leath miongháirí ar a mbéal agus díbríodh an ciúnas agus an teannas ag an ráisteachas a d'eascair as an bhfaoiseamh. Shín Emlik lámh i dtreo Chneasáin agus rugadar greim daingean láidir an chairdis ar a chéile. Teilgeadh a n-intinn siar go dtí an chéad oíche úd ar dhaingnigh siad snaidhm na bráithriúlachta eatarthu.

Bhí léire intinne ag Cneasán anois. Bhí go leor dá mhuintir féin ag brath air fós chun gaois agus ceannaireacht a thabhairt dóibh i ndiaidh an áir.

"Na físeanna," arsa Cneasán le Sobharthan, "an bhfuil siad go hiomlán i gcrích faoi seo?"

"Ní foláir nó tá," arsa Relco go díograiseach. Bhí beocht anois ann a d'eascair, ar bhealach, as meascán de spleodar na hóige agus an faoiseamh a d'airigh sé nuair nár thóg Cneasán tragóid Bhaile na hAille Báine air féin agus ar Emlik. Cheadaigh Sobharthan giorracht an spleodair dó.

"Ní féidir a bheith cinnte," ar sí. "Tá go leor nach bhfuil mé in ann ciall a bhaint as."

"Ach," arsa Relco, agus arís eile léirigh sé róchinnteacht na hóige ina thuairimíocht, "tá an fhís gur de na Barbaigh é Fiachra cruthaithe cheana féin."

Stop sé soicind nuair a chuimhnigh sé go raibh Frayika ina measc. D'fhéach sé ina treo agus aiféala air ina chroí istigh go raibh sé chomh neamh-mhothálach ar a cás. Chrom sise a ceann. D'airigh Frayika freagracht éigin i dtaobh ar tharla dá gaolta ag Baile na hAille Báine.

Bhain toradh seo an ródhíograis stangadh éigin as caint Relco. Lean sé air, ach ba lú é a fhéinchinnteacht anois.

"Agus is dócha gurbh é scrios na hoíche aréir cur i gcrích an dara fís," ar sé.

Ba léir dó ar aghaidheanna mórán na ndaoine cois tine gur thaobhaigh siad leis an tuairim seo uaidh agus chuir seo lena fhéinmhuinín arís.

"Nach léir daoibh é?" ar sé, "an teacht seo as an gcarraig, sin iad na Barbaigh ag teacht as an gCathair Mhór. Agus na lasracha agus an t-iarann seo, is léiriú iad sin ar an scrios atá déanta cheana féin acu."

D'aontaigh siad i gcoitinne go raibh an chosúlacht ar an scéal go raibh tuiscint Relco cruinn ceart. Bhí Frayika bhocht fós ina suí taobh le Sobharthan agus a ceann cromtha le náire aici. Ach bhí Emlik ann i gcónaí agus, cé go raibh mórán samhraí curtha de aige i bhfearann seo na gCeilteach, bhí bua úd na léire smaoinimh agus an fhuaraigeantais, ar thug sé leis óna shinsir Nordacha, mar chuid dá mheon i gcónaí.

"Dhealródh sé go bhfuil an ceart ag Relco sa mhéid a deir sé," arsa Emlik.

Bhí uabhar — nach mairfeadh i bhfad — le feiceáil ar éadan Relco ar chloisteáil ráiteas seo a athar dó.

"Ach," arsa Emlik, agus tréith úd an fhéinmhórtais ina mhac á saighdeadh aige, "céard faoin gcuid sin den fháistine a thagraíonn don Talamh, don Ghrian agus don Ghealach a bheith ina n-aon aonad amháin?"

Bhreathnaigh sé ar Relco. Searradh as na guaillí an t-aon fhreagra a bhí ag Relco air seo agus bhreathnaigh seisean uaidh ar Shobharthan.

"Ní thuigim féin é," arsa Sobharthan, "ach tá mé cinnte de go n-aithneoimis é dá dtarlódh sé."

Ba léir anois gur aontaigh a raibh i láthair leis an ráiteas sin.

"Ní chreidimse go bhfuil an dara fís tagtha i gcrích fós," arsa Sobharthan. Bhí cinnteacht ina glór. "Creidim go bhfuil a thuilleadh le teacht."

* * *

Bhí sé i ngaireacht na Samhna agus bhí siad d'aon ghuth gur chóir do Chneasán agus dá mhuintir an geimhreadh a chur díobh in áitreabh Loch Reasca. Dódh san ár é gach a raibh den fhómhar stóráilte i mBaile na hAille Báine acu agus ní bheadh ciall ar bith filleadh ar an lios sin go dtiocfadh Imbolc an Earraigh i réim arís. De réir mar a tháinig na mairtírigh chucu féin arís, chuidigh siad le clabhsúr an fhómhair. Mura raibh rath orthu i réimsí eile den saol, is cinnte go raibh an talamh fial flaithiúil lenar thug sí uaithi d'ábhar bia dóibh.

A luaithe agus a chuala Fearchú agus Raithnika faoi eachtraí Bhaile na hAille Báine tháinig siad go Loch Reasca. B'ansin don chéad uair a chuala siad faoi fháistiní Shobharthain. Ba mhór é croí Raithnika do chás a deirféar nuair a chuala sí faoi chalaois Fhiachra. Thug sí an-tacaíocht do Frayika ag an am agus, ar bhealach, rinne an anachain tréanú ar shnaidhm an chairdis eatarthu.

D'fhill Fearchú ar Lios an Rú chun cúrsaí deireanacha an fhómhair a láimhseáil ann agus d'fhan Raithnika i Loch Reasca, áit ar chuidigh sí leis na mairtírigh agus inar chaith sí roinnt mhaith ama in éineacht le Frayika. Nuair a tháinig sé in am di filleadh ar Lios an Rú d'imigh Frayika léi. Thóg siad leo freisin cuid de na páistí sin a fágadh gan athair, gan mháthair de dheasca fhíoch na mBarbach. Airíodh go ndéanfadh sé a leas sin, ach go háirithe, a bheith scartha amach ó iarsmaí agus ó chuimhneacháin an scriosta. Ar chaoi ar bith, nach mbeadh Saoirse agus Fionnán, páistí Raithnika, mar chomhluadar i Lios an Rú acu, gan trácht ar pháistí eile na háite. Thabharfadh sin neart deis chun spraoi dóibh. Socraíodh go dtiocfaidis go léir le chéile arís chun an tSamhain a cheiliúradh i Loch Reasca.

Idir an dá linn, bhí muintir Loch Reasca gnóthach le cúrsaí an fhómhair lá i ndiaidh lae. Chaití céad chuid na hoíche ina suí cois na tine, ag aithris scéalta, ag caint ar an tseilg agus ag iascaireacht, nós a bhí curtha ar a súile dá chomrádaithe Ceilteacha ag Emlik, tar éis dó féin agus dá mhuintir teacht chun na críocha seo.

Oíche dá sórt, tar éis don chuid ab óige den chomhluadar a bheith imithe a chodladh, chas an chaint ar na laethanta a bhí le teacht. Ní fhéadfaí gach a tharla a dhearmad. Bhí sé ríthábhachtach go mbeidis ar an airdeall. Pléadh, cíoradh, caitheadh mórán ama ar fháistiní Shobharthain. Rinneadh cinneadh go gcuirfí cuid d'fhir na háite i mbun slacht a chur ar na hairm a bhí acu.

"Dá dtarlódh aon cheo," arsa Cneasán, "níor mhaith linn gan a bheith réitithe faoina choinne, mar a tharla i mBaile na hAille Báine."

"Tá an ceart ar fad agat, a Chneasáin," arsa Emlik. "Caithimid a bheith réidh don uile chor. A Relco," ar sé, agus bhreathnaigh sé ar a mhac, "teastaíonn uaim go nglacfása agus Suibhne cúram faobhraithe gach arm cloiche oraibh féin."

Thug Suibhne, a bhí taobh le hEmlik, le fios go mbeadh sé sásta comhoibriú le Relco sa chúram sin.

"Breathnóidh mé féin agus Cneasán i ndiaidh na n-arm a bhfuil barr miotalach orthu. Beidh chuile shórt réitithe agus ina cheart ansin."

"Agus céard a tharlóidh mura ndéantar ionsaí ar bith orainn?" a d'fhiafraigh Iarla, duine d'fhir mhuinteartha Chneasáin.

"Mura ndéantar ionsaí orainn, a Iarla, a chara," arsa Cneasán, agus stop sé den chaint chun éadan gach aon duine timpeall ar an tine a bhreathnú, "tig leat a bheith cinnte de go mbeidh na hairm is géire sa Bhoireann againn agus sinn sa tseilg ar an gcollach allta teacht na soininne athuair."

Bhí aird an uile dhuine ar gach aon fhocal dá ndúirt Cneasán agus chuir an deisbhéalaí sin uaidh an-áthas ar a gcroíthe.

"Bímis ag súil leis, a ghaolta, gur chuige sin amháin a úsáidfear an armlann," arsa Emlik.

"Bíodh amhlaidh," arsa Cneasán.

"Bíodh amhlaidh," arsa an chuid eile d'aon ghuth.

Rinne siad a gcuid féin den chomhrá ansin, iad ag plé ina ngrúpaí beaga féin an tseift seo nó an tseift siúd a d'fhéadfaidis a dhéanamh maidir le cur chun cinn na hiarrachta.

Rinneadh an-obair go deo sna laethanta ina dhiaidh sin.

Cuireadh barr gach sleá agus gach saighead, 'cuma cloch nó miotal é, san aon ualach amháin i lár an áitribh. Ansin, ba é dualgas na bpáistí siúd nach ndeachaigh go Lios an Rú le Raithnika agus Frayika an dá chineál a scagadh óna chéile. Chuaigh fir agus mná ina ngrúpaí amach i measc na gcrann coll, bhain craobhacha díobh agus tharraing ar ais arís chun an áitribh iad. Toisc adhmad na gcraobhacha sin a bheith téagartha solúbtha, bhí sé ar fheabhas ar fad chun hanlaí nua a dhéanamh do na hairm. Rinne Suibhne agus Relco na bairr chloiche a mheilt agus, nuair a bhí sin déanta, chuir siad ar aghaidh go foireann eile iad le go nascfaí leis na maidí iad. Bhí mórán na hoibre céanna idir lámha ag Emlik agus Cneasán maidir leis na hairm mhiotalacha agus bhí, go fiú, roinnt tuanna nua miotalacha snoite acu. Go fiú mura mbeidís in ann úsáid a bhaint astu seo sa troid, b'iomaí eile úsáid a bhainfí astu amach anseo.

Bhí foireann eile fós ag réiteach sconsa adhmaid a ardófaí taobh istigh de na sceacha a bhí ag fás gar do chiumhais an áitribh. Murab ionann agus Baile na hAille Báine nó Lios an Rú, ní raibh aon ráth ná trinse uisce timpeall ar Loch Reasca. Ní raibh aon ghá lena leithéid go dtí seo agus ba é dóchas na ndaoine nach mbeadh aon ghá leis amach anseo ach an oiread.

"Caithfidh an sconsa caolach cúis a dhéanamh go fóill, ar aon chaoi," arsa Emlik le Suibhne, nuair a tháinig siad chun cigireacht a dhéanamh air.

"Má bhíonn an t-ádh linn, ní bheidh air fáth a thógtha a sheasamh, go fiú," a dúirt Suibhne.

Bhí an obair go léir curtha i gcrích acu dhá oíche roimh Fhéile na Samhna. Bhí an fómhar bainte agus istigh acu agus bhí armlann nuadheisithe i gcóir agus i gceart.

Críochnaíodh an sconsa an tráthnóna sin féin.

"Tá obair mhaith déanta againn, a ghaolta," arsa Emlik. "Go leor i mbeagán ama."

Bhí spiorad na sástachta go hard i measc na ndaoine.

"Tá sé in am anois dúinn scíth a ligean," arsa Emlik. "Tá Féile na Samhna chugainn, tráth ar chóir dúinn ár n-urraim do na déithe a léiriú."

8

Samhain, Aitheasc Emlik, Comhlíonadh Fáistine, An Troid, Maitheas vs. Olc, Athchló

Ba é an lá roimh Lá Samhna é. D'fhág muintir Lios an Rú a n-áitreabhsan an mhaidin sin agus níor fhágadar ina ndiaidh ach na gadhair. D'iompraigh na fir muc agus caora, a maraíodh go speisialta chun an fhéile a cheiliúradh. Bhí siad réamhréitithe acu agus ceanglaíodh iad ar chuaillí láidre téagartha le haghaidh an iompair. Faoin am ar bhain siad Loch Reasca amach bhí a nguaillí tinn dearg leis an meáchan a bhí orthu.

"Tá fíorchaoin fáilte romhaibh anseo, a chairde linn," arsa Orla, ar shroicheadh na háite dóibh.

Bhí fáilte ar leith roimh a dheirfiúracha ag Emlik. Ní fhaca sé iad ón uair a d'imigh Raithnika agus Frayika leo go Lios an Rú. Rug sé barróg mhór orthu beirt. Láidríodh ar an gceangal eatarthu triúr ón uair a bhásaigh Alyana. Ba dheacair dóibh a chreidiúint go raibh Samhain eile tagtha ón oíche thragóideach úd. Ba thréimhse dhian rachlais dóibh é. Ní raibh i marú Alyana agus Knapper ach an tús: bás Fhearghail i nGleann an Mhóinín, a bhí fós gan mhíniú; an t-ionsaí a rinneadh ar Dheirbhile san áit inar sheas na Galláin Mhóra; fáistiní éagsúla Shobharthain; cealg chruálach Fhiachra agus ionradh neamhthrócaireach na mBarbach ar Bhaile na hAille Báine. Ní fhaca siad a mhacasamhail de thréimhse thrioblóideach cheana.

Ach bhí sé sin go léir thart anois. Bhí Féile na Samhna tagtha. Bhí sé in am do dhaoine na seantrioblóidí a chur díobh; am scíthe, am athnuachana, am le díriú ar a raibh le teacht. Cé go raibh míshuaimhneas ina measc i dtaobh fháistine dheireanach Shobharthain a bheith tagtha i gcrích nó gan a bheith, bhí a fhios ag Emlik go léireofaí urraim, go fiú i gcás na mBarbach, do thráth seo na Samhna. D'airigh sé freisin, a luaithe agus a bheadh An tSamhain thart agus go mbéarfadh an geimhreadh a ghreim ar an uile ní, gur bheag contúirt a bheadh ann dóibh feasta.

De réir mar a thit an oíche orthu agus gur leath an dorchadas ar léithe na gcnocán boirneach thoir, dhreap iomlán gealaí na Samhna go réidh sa spéir ghléghlan. Níorbh fhada gur airíodh nimh an aeir ghoibéalta agus ba rígheal é brat na réaltaí a leath go réimsiúil os a gcionn. Bhí an doiléire úd a thiteann le céadteacht na hoíche imithe anois agus sheas léithe na carraige go dána faoin solas athuair.

Istigh san áitreabh bhí tús curtha leis an scléip cheana féin. Bhí Suibhne i measc na bpáistí, ag cuidiú leo in eagrú a gcuid imeachtaí. Ba dheis do pháistí í an tSamhain chun a bpáistiúlacht a cheiliúradh. Chaith siad dúthracht i mbun na gcluichí ceannann céanna lenar ruaig a sinsir a bpáistiúlacht féin uathu leis na cianta. Dhéanfadh a gcuimhne agus a gcur amach ar na cluichí a imríodh an tSamhain roimhe sin ceannairí agus eagraithe de chuid de na páistí ar an oíche sin. Ní raibh a dhath de dhifríocht idir an tSamhain sin agus Samhain ar bith eile ach amháin go raibh samhradh eile curtha díobh acu siúd a bhí i láthair.

Bhí na daoine fásta, mar ba ghnách leo, ina suí cois tine.

Líonadh an láthair leis an ngnáthráisteachas cainte agus soilbhris. Rinneadh plé ar fhlaithiúlacht an fhómhair agus ar nós nua na hiascaireachta as raftaí san fharraige lastuaidh ar na háitribh. Chas an chaint ar an samhradh a bhí curtha díobh acu.

"Céard faoi Fhiachra?" arsa Fearchú. "Glacaim leis nach raibh sé de dhánacht aige teacht anseo ó rinneadh an feall i mBaile na hAille Báine!"

"Ní raibh, ná baol air," arsa Emlik. "Ní fhacamar a dhath de ón oíche sin."

"Agus ní haon chailliúint dúinn é nach bhfaca," arsa Relco. B'fhurasta an fhearg a aithint ar ghuth an ógfhir.

"Anois, a Relco!" arsa Orla. Dhaingnigh sí a béal agus dhearc sí a mac go géar. B'in modh ceartaithe a mháthar leis toisc é a bheith chomh béalscaoilte sin i láthair Frayika.

"Ba dhrochobair í agus is fearr dearmad déanta di," arsa Emlik. Bhí seisean ar a sheantaithí, ag iarraidh an caidreamh a choinneáil ar an meán.

"Tá an ceart agat, a Emlik," arsa Cneasán. "Is tráth é seo dúinn a bheith ag breathnú ar aghaidh seachas an tsúil siar seo. Is tráth dearfach athnuachana é."

D'aithneofaí aois ar Chneasán an oíche áirithe sin. Bhí an leathchéad samhradh curtha de faoi seo aige agus ní raibh fuinneamh na hóige ina chnámha ná ina mhatáin a thuilleadh. D'fhág léirscrios Bhaile na hAille Báine rian doscriosta air. Ba léir an t-athrú sin d'Emlik. Bhí léithe in éadan an tseanóra ó maraíodh Mánla. Ar bhealach, shíl Emlik nárbh éagsúil é cás a sheancharad agus cás a mháthar féin, Alyana, tar éis bhás Relco. Ach, agus sin ráite, bhí uaireanta ann nuair a bhí Cneasán fós an-ghníomhach ar fad.

"Cén uair a thosófar ar an obair athchóirithe i mBaile na hAille Báine?" a d'fhiafraigh Suibhne de — é díreach tar éis suí isteach ar an gcomhluadar tar éis dó obair eagraithe na bpáistí a chur i gcrích.

"Tosóimid uirthi a luaithe agus a bheidh an geimhreadh curtha dínn againn," arsa Cneasán. "Fágfaidh sin neart ama againn chun síolta a chur le go mbainfear an fómhar i ndiaidh an tsamhraidh."

"Ní bheidh aon ghanntanas cúntóirí orainn ar aon chaoi," arsa Raithnika, agus bhreathnaigh sí siar ar na páistí agus í á rá sin.

"D'fhéadfá a rá," arsa Frayika. "Táimid beannaithe le mórán, rud a chinntíonn cur chun cinn na hoibre i bhfad tar éis dúinne a bheith imithe."

Bhí Sobharthan, mar ba nós léi, ina suí go tostach idir a máthair agus a hathair ar feadh an ama. Deirbhile a bhí ina suí ar an taobh eile d'Emlik agus bhí lámh leagtha ar ghuaillí a bheirt iníonacha ag an athair.

"Sea, go deimhin," arsa Emlik, agus d'fháisc sé a bheirt iníonacha chuige, "táimid beannaithe lenár bpáistí."

"Dár bpáistí," arsa Fearchú, agus d'ardaigh sé a chuach fíona.

"Dár bpáistí uile," a d'fhreagair an comhluadar i gcoitinne.

Óladh a sláinte.

Ar ísliú an chuach dó, bhreathnaigh Fearchú ar Shobharthan. "Céard a fheiceann tú romhainn sa todhchaí, a Shobharthain?" ar sé.

D'fhéach an cailín óg ar Fhearchú. Bhí eolas ina súile donna dorcha nach raibh tuiscint aici féin air fós. Bhí sí ina hurlabhraí ag cumhacht dothuigthe éigin a mhair lasmuigh di.

"Ní féidir liom a dhath a fheiceáil, a Fhearchú," ar sí.

Bhí Emlik, a raibh lámh fós trasna ar shlinneán Shobharthain aige, in ann creathán a aireachtáil ag rith trí cholainn an chailín óig. B'ábhar buartha i gcónaí riamh dó é go gcuirfí an iomarca brú uirthi. Níor theastaigh uaidh go mbeadh fulaingt riamh arís uirthi toisc bua seo na tairngreachta a bheith aici.

"Is maith sin, más ea," arsa Emlik. "Mura bhfeictear rud, caithfimid a ghlacadh leis nach bhfuil aon cheo ann le feiceáil."

Dhruid sé a iníon chuige agus thuig siad a chéile go maith: eisean, an dualgas a bhí air í a chosaint agus ise, an gá a bhí aici leis an gcosaint sin.

"Anois ithimis," arsa Emlik. Agus leis an ráiteas sin cuireadh deireadh leis an ábhar comhráite.

Nuair a chuala na páistí ar chúl an tagairt seo do bhia thréigeadar a raibh ar siúl acu agus tháinig siad go beo, iad á bhfáscadh féin sna spásanna cúnga idir na daoine fásta agus ag cur ar an gciorcal é féin a leathnú ina fháilte. Roinneadh an fheoil, itheadh láithreach í agus thréig na páistí comhluadar na ndaoine fásta arís leis an easpa dílseachta céanna agus a léirigh siad don chluichíocht ar ball beag. Bhí gach aon ní mar a bhí an tSamhain roimhe sin, agus roimhe sin arís, agus, go deimhin, níos faide siar ná mar a bhí de chuimhne ag an duine ba shinsearaí sa chomhthionól.

Sheas Emlik. Bhí sé in am dó Aitheasc an Taoisigh a thabhairt. An t-am le fáilte fhoirmiúil a chur roimh na daoine. Taca an ama sin anuraidh ba é dualgas Chneasáin a leithéid a dhéanamh. Bhí intinn Emlik lán de chuimhní ar a raibh tarlaithe ón tSamhain seo thart. Rinne smaoineamh ar Alyana na deora a mhealladh dá shúile. Ní foláir a bheith láidir, shíl sé, ní foláir a bheith dearfach. Ar ndóigh, ní fhéadfadh sé gan tagairt a dhéanamh do na heachtraí uafásacha a thit amach le déanaí, ach níor ghá a bheith ró-fhadálach. Bhí dualgas air an dóchas a scaipeadh orthu — dóchas iontu féin mar dhaoine, agus dóchas sa todhchaí.

Tost. Bhí na páistí sa chúlra, go fiú, ina suí gan focal astu, iad go léir ag fanacht ar an aitheasc. Ciúnas.

"A ghaolta liom, tá fáilte romhaibh anseo féile seo na Samhna."

Stop sé tamaillín, é ag ligean dóibh mionchaint a dhéanamh, rud a dhéanfaidis i gcónaí i ndiaidh na gcéad fhocail fháiltithe. Is cosúil go raibh feidhm ar leith sa nós céanna i ndíbirt an teannais úd a bhíodh ann i gcónaí roimh labhairt don taoiseach. Shocraigh siad athuair.

"Is é an tráth é nuair ..."

Stop Emlik. Bhí chuile shúil dírithe air, ach bhí imní le feiceáil ina shúile gorma féin, súile a bhí dlúthdhírithe ar Shliabh Cheapán an Bhaile, ar an taobh ó dheas den áitreabh. Thosaigh snáthanna solais, idir dhearg agus bhuí, ag taisteal suas a aghaidh agus shníomh siad cúrsa casta trí fhinne a chuid gruaige. Chas Fearchú ar dtús, ansin Cneasán agus, ina dhiaidh sin arís, chas Relco chun breathnú ar mhullach mór an tsléibhe. Bhí stiallacha solasmhara, mar a bheadh tine ann, ag réabadh thar an mullach, amhail is go raibh siad á dtiomáint ag an ngaoth. Léim na fir ina seasamh agus níorbh fhada ina ndiaidh iad na mná agus na páistí. Tháinig na páistí ab óige ar fad, a bhí in ionad na gcluichí, de ruathar chun a dtuismitheoirí.

Bhí fíochmhaire an tsolais feicthe ag Suibhne faoi seo.

Tháinig sé de rith chuig Emlik.

"Céard é féin, céard é féin?" ar sé, go fraochta faiteach. D'aithin Emlik an t-anbhá air agus rug sé greim daingean láidir taobh thuas den uillinn air agus bhain croitheadh beag as.

"Coinnigh guaim ort féin, a Shuibhne — tá mé ag brath ortsa a bheith stuama láidir," arsa Emlik.

Bhí sé ag súil leis go bhféadfadh Suibhne a mhianach a thaispeáint san uair ar mhó ba ghá leis. Bhí an solas le feiceáil ag rásaíocht i mic imrisc Emlik. Ba é seo tráth na Samhna, an tráth úd ar ghéill an duine do chumhacht an domhain eile. Ba am é a d'éiligh misneach orthu.

Léim Suibhne siar ó Emlik. Bhí sé ag troid in aghaidh na heagla istigh. Dhéanfadh sé mar a d'éiligh Emlik air. Bheadh sé stuama misniúil.

"Tugaigí aird anseo anois más ea," a bhéic Suibhne. "Na mná agus na páistí — isteach libh sna botháin."

Bhí cur chuige ina chuid oibre, é go maith i gceannas gnó. Tháinig Orla, Raithnika agus Frayika chun cuidiú leis san iarracht agus threoraigh siad an chuid ba leochailí den chomhluadar i dtreo an fhoscaidh.

"A Chneasáin, 'Fhearchú, 'Relco," arsa Emlik, agus é á nglaoch i leith chuige i lár an áitribh. Chrom siad ar a ngogaidí.

"Céard é féin? Céard tá ag tarlú?" arsa Relco. Bhí sé trína chéile, faiteach roimh a raibh i ndán dóibh.

"Níl a fhios agam," arsa Emlik. "Níl an tuairim dá laghad agam."

Rinneadh cailéideascóp de dhathanna den talamh fúthu lena raibh de shnáthanna draíochta solais á scuabadh tríd an spéir. Shníomh dearga agus buí, glas agus corcra ina bpatrúin tríd an áitribh.

"Caithfimid iarracht a dhéanamh chun —"

Stop Emlik ina chaint. Bhí Sobharthan ina seasamh ina haonar ag an taobh ó dheas den áitreabh, gar don sconsa nuathógtha.

"Fanaigí anseo," arsa Emlik leis an gcuid eile, agus bhog sé amach uathu. Tháinig sé gar do Shobharthan. Bhí sí ag breathnú uaithi ar Shliabh Cheapán an Bhaile. Bhí na dathanna mar nathracha nimhe ag trasnú a coirp agus ag cumadh scáileanna diamhra ar a haghaidh. Sheas Emlik taobh thiar di agus leag lámh ar a gualainn.

"Céard é féin, a Shobharthain? Céard is bunús leis an diamhair seo?" ar sé.

Níor chas sí chuige. Ní dhearna sí ach lámh a chur ar lámh a hathar.

"Níl a fhios agam. Is rud é seo atá lasmuigh dínn. Is rud é nach den domhan seo é."

Ghoill sin ar Emlik. Bhí an chuma ar Shobhartan go raibh sí scoite amach uaidh. Níorbh í an ghnáth-Shobharthan í a d'fhéadfadh, d'ainneoin an bua a bhí aici, níos mó cairdis agus grá a léiriú ná mar a dhéanfadh an gnáthpháiste.

Gan aon choinne leis, tháinig deireadh le rásaíocht an tsolais os cionn Cheapán an Bhaile agus d'fhill an gnáth-dhorchadas ar an spéir. Chas Sobharthan i dtreo Emlik agus, a luaithe agus a rinne, eisíodh méileach ard ghéar as Sliabh an Mhóinín. Tháinig solas i súile Shobharthain.

"An tAinmhí!" ar sí, de chogar, agus ní fhéadfaí an sceoin a bhí ina caint a dhearmad. "An Gabhar!" ar sí.

Bhreathnaigh sí féin agus Emlik i dtreo Shliabh an Mhóinín agus, leis sin, phléasc splanc thintrí a rinne

bealach isteach an áitribh a shoilsiú. Bhí Fiachra ina
sheasamh sa solas. Splanc eile, agus arís bhí Fiachra le
feiceáil agus é ag gáire go magúil. Bhí Emlik ar tí déanamh
air, ach shín Sobharthan lámh amach os a chomhair.

"Ná déan," ar sí, "níl sé ann ar chor ar bith."

"Ach nach bhfeicim —"

Cuireadh isteach ar chaint Emlik ag an tríú splanc agus,
an babhta seo, ní raibh rian d'Fhiachra ann. Bhí Relco agus
Fearchú leath bealaigh cheana féin chun an ionaid ina
bhfacthas Fiachra. Fós eile, scaoileadh méileach fhada
dhrochthuarach amach san oíche ghlé.

"Féachaigí, féachaigi!" a bhéic Orla, agus í ag rith as
ceann de na botháin. Bhí méar sínte i dtreo na spéire aici.
Iomlán gealaí a bhí ann an oíche sin, ach anois bhí scáth á
chaitheamh uirthi, é ag dul thar scríob ar fhoirfeacht an
chiorcail. Sheas siad go léir le chéile agus d'amharc ar an
dorchadas creimeach agus é ag ídiú na gealaí. Níor scamall
a bhí ann!

Shiúil Sobharthan amach uathu agus teilgeadh scáth na
gealaí ar a haghaidh.

"Tarlóidh sé in am an dorchadais, san uair ar aonad iad an
Talamh, an Ghealach agus an Ghrian. As an gcarraig a thiocfaidh
siad agus lasracha 'gus iarann mar airm inár gcoinne acu agus
déanfaidh Sí a meonta a riar agus a mháistriú. Agus déanfar slad
agus scrios," ar sí.

"An dara fís," arsa Cneasán, agus ghabh an sceoin é.

Méileach eile fós. Ansin splanc thintrí, agus arís agus
arís eile. Agus anois, san áit ina bhfaca siad Fiachra ina
sheasamh ar ball beag, bhí iliomad de na Barbaigh. Splanc
eile, agus tháinig siad de ruathar isteach san áitreabh, a
sleánna agus a dtuanna á luascadh go fíochmhar acu agus

an sconsa nua agus na botháin inar aimsigh na mná agus a bpáistí foscadh á ndó go talún acu.

"A Relco, a Shuibhne, faighigí na hairm, na hairm," a scréach Emlik, agus rinne sé i dtreo na mbothán. Bhí sé le ceangal le fearg agus, cé nach raibh arm ar bith ina sheilbh aige, d'úsáid sé neart na ngéag chun go leor de na creachadóirí a chaitheamh ar leataobh. Amach uaidh, tríd an gceo deataigh a líon an t-áitreabh, chonaic sé cuma Dhubháin, ceannasaí na mBarbach, agus Fiachra taobh leis. Bhí an t-ionsaí á riar acu. Feisteas dubh a bhí ar Dhubhán, éide chatha ó bhun go barr agus ceannbheart taoisigh air.

"Seo, 'Emlik," a bhéic Suibhne, agus chaith sé sleá agus scian seilge chuige.

Bhí mórán ban agus páistí tite cheana féin. Roinnt eile díobh, bhí siad ag déanamh ar an sconsa agus iad ag scréachach agus á gcaitheamh féin san fhéar mar iarracht ar ghreim na tine ar a gcuid éadaigh a mhúchadh. Ní raibh srian le líon na mBarbach. San áit ina raibh duine amháin de lucht Loch Reasca, bhí ceathrar nó cúigear Barbach.

"Leagaigí an sconsa, leagaigí an sconsa," a bhéic Emlik.

Rith Cneasán agus Iarla go dtí lár an áitribh, d'ardaigh an lomán ar ar shuíodar ar ball agus rith leis i dtreo an sconsa. Sheas Cneasán chun tosaigh, Iarla taobh thiar de, chuir lán a meáchain leis an iarracht agus thosaigh ar an sconsa a bhatráil. Ba ghearr go raibh an sconsa lagaithe go mór. Bhí sé leathleagtha acu agus ní thógfadh sé ach dhá nó trí iarrachtaí eile lena thabhairt chun talún ar fad. Chonaic cuid de na mná iarracht Chneasáin agus Iarla agus thosaigh siad ar na páistí a chur ina dtreo. Ach ní raibh Dubhán dall ar an dul chun cinn sin ach an oiread. D'ordaigh sé d'Fhiachra agus do chuid dá shaighdiúirí deireadh a chur le hiarracht na beirte agus, díreach nuair a bhí Cneasán agus Iarla chun an ruathar deireanach a thabhairt, tháinig na Barbaigh anuas go trom orthu. Maraíodh ar an toirt iad. Sheas Fiachra os cionn chorpán Chneasáin agus leath draid mhailíseach ar a bhéal.

Bhí an t-áitreabh ina ifreann. Iad siúd a bhí fós ina mbeatha, rinne siad satailt ar choirp mharbha a ngaolta ina n-iarrachtaí chun éalú ó fhíochmhaire na mBarbach. Éinne a raibh sé d'ádh leis éalú lasmuigh den sconsa, rugadh air agus maraíodh ar an láthair é.

Thug Fearchú dúshlán Dhubháin sa troid anois. Thuig sé go dtiocfadh lagmhisneach ar na Barbaigh dá n-éireodh leis a gceannaire a mharú. Roimhe seo, chonaic sé a chara cróga, Suibhne, ag dul faoi chlaíomh an taoisigh Bharbaigh. Thit an laoch bocht sin agus greim an fhir bháite aige ar an mblaosc a bhí ar crochadh ar chrios Dhubháin. Ní bheadh a fhios riamh aige gurbh é blaosc a aonmhic Fearghal é.

Bhí an lámh in uachtar á fáil ag Fearchú ar Dhubhán anois. Bhí sé i ngreim ar an talamh aige agus bhí scian brúite in aghaidh scornach Dhubháin aige. Ag iarraidh an ceannbheart a bhaint de a bhí sé nuair a tharla sé. Tháinig bolgshúile ar Fhearchú, amhail is go raibh sáriarracht go deo á déanamh aige. D'éalaigh driúillín beag fola, a bhí dubhdhearg, as cúinne a bhéil agus d'imigh gach pioc nirt as na géaga air. Le hollmhéid iarrachta, shín sé a lámh taobh thiar dá dhroim agus d'aimsigh sé crann na sleá a bhí ag gobadh amach as agus thit sé den taoiseach Barbach. Bhí Fiachra ina sheasamh os a gcionn. Shín sé lámh síos chuig Dubhán agus tharraing aníos ina sheasamh é.

Bhreathnaigh siad thart orthu féin. Ní raibh fágtha ina

seasamh de mhuintir Loch Reasca ach Emlik agus Relco.
Lasmuigh den sconsa, bhí na Brabaigh sa tóir orthu siúd ar
éirigh leo éalú chomh fada sin. Bhí siad mar a bheadh scata
mac tíre i ndiaidh uain óig.

Bhí droim Relco casta le Fiachra agus Dubhán.

"Tá deis anois agat," arsa Dubhán lena chomrádaí.
Agus thapaigh Fiachra an deis gan mhoill. Dhaingnigh sé a
ghreim ar a shleá, tháinig de rúid láidir cruinndíreach i
dtreo mhac Emlik agus rinne é a shá. Agus anois, ní raibh
fágtha ach an t-aon duine amháin — Emlik. Rinne Fiachra
air.

Bhreathnaigh Dubhán chun na spéire. Bhí an ghealach
ite, nach mór, ag an scáth a bhí tagtha trasna air, gan le
feiceáil anois de ach an méidín ba lú solas. Rinne sé gáire,
gáire na mailíse, agus lonraigh solas na tine a bhí i ngach
áit timpeall air ina shúile dubha. I bhfad amach uathu, ar
bharr Shliabh an Mhóinín, rinne an gabhar dubh méileach
chaithréimeach. Cloigeann tollta reithe an tsléibhe a bhí
mar cheannbheart ar Dhubhán. Thug sé méileach ar ais
mar fhreagra ar mhéileach an tsléibhe.

Chas sé agus thug aghaidh ar Emlik. An chreach
dheireanach. D'at polláirí Dhubháin le boladh díoltais. Bhí
Fiachra ag iomrascáil ar an talamh le ceannaire Loch
Reasca. Níor bheag é ábhar éirice Emlik. Níorbh ea, go
deimhin! Onóir a dheirféar. A mhac, a bhean, a mhuintir
uile. Bhí siad beirt ar a gcosa athuair. Tháinig spadhar
mearaí ar Emlik. D'fháisc sé a lámha go láidir ar mhuineál
Fhiachra. Thit an t-ógfhear ar a ghlúine, é fós i ngreim ag
Emlik. Níor shamhlaigh Emlik riamh go bhfaigheadh sé an
oiread sin de bhlas ar mharú. Níor chuid de féin é a bhí
aimsithe aige cheana. Leis sin, raideadh sleá isteach i

ndroim an laoich Bharbaigh agus goideadh fearg Emlik uaidh. D'airigh Emlik faoine an choirp a bhí idir na lámha aige. Bhreathnaigh sé sall ar an taobh eile den áitreabh: Dubhán, ceannaire na mBarbach. Dubhán a mharaigh a fhear muinteartha féin.

Gan oiread agus smaoineamh air, scaoil Emlik an greim a bhí ar Fhiachra aige agus lig don chorpán titim ina phleist. Bhí sé trína chéile. Ní fhéadfadh sé aon chiall a bhaint as seo.

"Tusa! Ach, cén fáth?"

"Tá fúm mo dhíoltas féin a bhaint amach, seachas é a fhágáil faoi Fhiachra," arsa Dubhán.

"Céard tá i gceist agat, a dhuine?"

Shiúil Dubhán ar aghaidh go dtí lár an áitribh agus lonraigh na lasracha a bhí ag léim as na botháin san iodh óir a bhí timpeall ar a mhuineál aige. Den chéad uair riamh bhí lán a radhairc ag Emlik ar an Dubhán fíochmhar seo. Ar fháth éigin, tháinig mearbhall manglamach ar Emlik nuair a chonaic sé an iodh óir agus ceannbheart cheannaire na mBarbach: an t-ionsaí ar Dheirbhile ag na Galláin Mhóra! An fear ar a raibh cloigeann gabhair! An iodh óir a thug Cneasán dó! Na prócaí bunoscionn agus truailliú áit adhlactha Alyana agus Knapper!

Dhearg súile Emlik le teann feirge. D'airigh sé frithbhualadh na fola i bhféitheacha a chinn. "Tusa a bhí ann!" arsa Emlik.

Chroch Dubhán a chloigeann go hard agus rinne gáire scigiúil. Ní fhéadfadh Emlik guaim a choinneáil air féin. Chaith sé é féin ar aghaidh le fuinneamh agus leag Dubhán chun na talún. Bhí sé ina streachailt eatarthu, iad anseo 's ansiúd agus ar fud na háite, iad ag meilt aghaidheanna a chéile go dian in aghaidh na talún. Níor thúisce lámh in uachtar ag duine amháin díobh nó bhí an buntáiste ag an bhfear eile. Go deimhin, bhí an ghluaiseacht féin chomh mearaithe sin is go raibh sé dodhéanta in amanna a rá cé aige a raibh an lámh in uachtar.

Ar deireadh, shuigh Dubhán agus a ghlúine scartha ar ghéaga Emlik agus lán a mheáchain á bhrú anuas ar chliabhrach fhear Loch Reasca aige, á ghreamú don talamh. Leag sé a lámha ar mhuineál Emlik agus d'fháisc. Bhí buntáiste nár bheag ag an mBarbach agus é in uachtar ar an bhfear eile. Lean sé air ag fáscadh go tréan agus thosaigh aithne Emlik ag teacht agus ag imeacht uaidh. Bhí Emlik in ann an blúirín ba lú deireanach den ghealach a fheiceáil ag dul i léig thar ghualainn chlé Dhubháin. Ag an bpointe sin dhruid sé ina dhorchadas agus phléasc cuimhne na coimhlinte an lá úd ar an rafta, i bhfad i bhfad siar, isteach in intinn Emlik. D'ardaigh Dubhán lámh go mall tomhaiste dá chloigeann, rug greim ar an gceannbheart agus bhain de féin é.

"Ba mhaith liom go dtuigfeá, a dheartháir liom, cé aige a bhfuil tú cloíte," ar sé.

"'Darkon!" arsa Emlik. Ní fhéadfadh sé é a chreidiúint. "Ach, tuige? Cén fáth go —?"

Níor thúisce sin ráite aige nó d'airigh sé géire scian Darkon á radadh isteach faoi na heasnacha air.

Chuir turraing ghéar an tsáite creathán trí chorp Emlik. Rinne sé lúbarnaíl agus corraíl mhire faoi mheáchan a dhearthár agus, ina dhiaidh sin, luigh sé go fann. Os a chionn bhí Darkon ag gáire agus ag méileach arís agus arís eile. B'fhacthas d'Emlik go raibh tréithe éadan Darkon ag dul in anchruth de réir mar a thréanaigh an gáire agus an mhéileach. Bhí leathchuma gabhair anois air. Rinne Emlik iarracht labhairt ach ní raibh sé in ann chuige. D'aon bhuille amháin, rug an phian greim ar na baill bheatha uile air. D'ardaigh sé a chorp agus d'fhan ardaithe ar mhaighdeog na nguaillí agus na sál tamaillín. Ansin, lig ceannaire cróga Loch Reasca aon liú amháin na géilliúlachta uaidh. Agus bhí deireadh leis an bhfulaingt.

Sheas an Reithe Dubh in aice le corp a dheartháir. D'ardaigh sé a chloigeann agus rinne a bhua a fhógairt de mhéileach. Chualathas clagarnach na gcrúb in aghaidh na gcloch amuigh ar shleasa an tsléibhe agus, ina dhiaidh sin, tháinig méileach i ndiaidh méilí ina chlaisceadal míbhinn. B'ansin a tosaíodh ar an bhfogha. Méadaíodh ar thorann na gcrúb in aghaidh na gcloch cailceach agus tháinig na gabhair, ceann ar cheann, anuas den chlochán nó gur sheasadar mar thréad. Ansin, bhí an uile ní ina chiúin. Leis sin, de chasadh boise, tháinig siad de tháinrith isteach san áitreabh. Ó chuile thaobh a tháinig siad, iad chomh fíochmhar leis na Barbaigh féin, ag réabadh leo tríd an áitreabh agus ag sá na gcorpán a bhí san uile áit ar fud na talún. Go ceann roinnt nóiméad gineadh fuinneamh faghartha friochanta san áitreabh agus cuireadh leis an mailís ag an gciceáil san aer a rinne na gabhair ar aibhleoga dearga na tine.

Rinne Darkon, Reithe Dubh na hoíche, stad a fhógairt. Bhailigh na gabhair eile le chéile i lár an áitribh agus d'amharc siad air. Lig sé méileach lena thréad agus, mar fhreagra air, chas siad agus d'fhág an t-áitreabh. I gcaochadh na súl féin 'sea bhí siad imithe, gan fágtha ina ndiaidh acu ach an Reithe, Darkon, agus é i measc na gcorpán fuilteach a luigh ar láthair Loch Reasca. Ar deireadh, bhí a dhíoltas aige!

Ach, bhí duine amháin nár thit san ár, nach bhféadfadh titim, go deimhin, óir bhí sé ina nádúr aici go mairfeadh sí i bhfoirm éigin go deo na ndeor. D'airigh Darkon, a bhí, mar a shíl sé roimhe seo, ina aonar i measc na marbh, go raibh sé anois i bhfianaise neach éigin. Chas sé go mall, an fhuil ag titim ina braonacha dá adharca agus solas na tine ag breith orthu sa titim. Thoir uaidh san áitreabh, bhí neach caol aonair ina sheasamh. Bhí droim an neach leis an Reithe. Tiontú éadain i dtreo na spéire agus bhog an scáth dorcha, a bhí ag déanamh neamhní den ghealach, ar leataobh. Agus bhí sé ina sholas arís. Agus Sobharthan a bhí ann. Tháinig sí slán ar an sléacht.

Sobharthan — iníon le hEmlik; Emlik — mac le Relco;
Relco — athair Darkon; Darkon — deartháir le hEmlik;
Emlik — athair Shobharthain. Sobharthan — Fáidh.
Chas sí go mall, mar is mall a chasann an Ciorcal féin.
Agus, ach an oiread leis an gCiorcal, níl aon deireadh
leis an gcasadh.

Theagmhaigh súile an ghearrchaile le súile an ghabhair. Dorcha ar dhorcha. Domhain ar dhomhain. Dubh ar dhubh. Chlaon an Reithe, Darkon, a chloigeann, é beagáinín trína chéile. Chuir stánadh Shobharthain as dó roinnt. Baineadh siar as nuair a tháinig soilseacht i súile an chailín óig. Bhí solas inmheánach an fháidh á scairdeadh amach anois air. Ba ghile ná an ghealach iad na súile anois agus bhreathnaigh sí trí shúile seisean agus isteach i ndorchadas na hintinne. Chuir an teannas arraing trí shúile Darkon. Ní fhéadfadh sé an phian a sheasamh a thuilleadh. Ná an stánadh.

Chúlaigh an Reithe siar ón gcailín agus é ag cúbadh leis an bhfaitíos. Theastaigh uaidh éalú uaithi ach bhí a fhios aige go raibh ceangal air ag cumhacht a bhí i bhfad i bhfad níba láidre ná é. Chúlaigh sé isteach sa tine. Chuir tobainne an teasa air breathnú ar Shobharthan arís. Cheangail sí leis an stánadh an uair seo é agus rinne stacán de san áit inar sheas sé i lár na gríosaí. Dhún sí a croí go daingean ina aghaidh agus sheas ag breathnú air ag sleabhcadh agus ag leá os a comhair. Ar deireadh, chaoin sé glam na géilliúlachta. Níorbh í méileach uafar an Reithe Mhóir Dhuibh a bhí le cloisteáil anois uaidh. Níorbh í gáir chatha cheannaire na mBarbach a thuilleadh í.

Sheas Sobharthan os cionn na tine. Thuig sí nach raibh deireadh ráite. Thuig sí go raibh a thuilleadh le teacht sula gcomhlíonfaí an fháistine ina hiomláine. Dhearc sí ar chorp an Reithe á dhó os a comhair. Dhóigh sé leis go dtí nach raibh fágtha de ach an cloigeann féin. Ach, bhí an cloigeann slán! D'ainneoin é a bheith istigh i measc na lasracha, ní raibh an rian ba lú den loscadh le feiceáil air.

Ba ansin a thosaigh an claochlú deireanach. Tháinig crithloinnir ar ghnéithe na haghaidhe faoi bháine an teasa, amhail is go raibh sé chun leá, díreach mar a tharla don chorp roimhe sin. Ach ansin, d'athchruthaigh sé é féin arís agus is éard a bhí ann ná cloigeann caillí. Leis sin d'éirigh corp na caillí aníos as an ngríosach agus sheas go dána os comhair Shobharthain, á bagairt lena súile — súile an Reithe, súile Darkon. An Mhaitheas in aghaidh an Oilc agus An tOlc in aghaidh na Maitheasa. Ní bheadh bua ag ceachtar acu.

Bhog An Chailleach amach ón tine agus chuaigh chomh fada leis an ard a bhí ar an taobh thiar den áitreabh.

Bhreathnaigh sí an t-áitreabh soir agus siar, thuaidh agus theas, chas i gciorcal agus ansin, rinne sí a fallaing a ardú agus leath scáth ar gach a raibh le feiceáil san áit. Sioscadh uisce a bhí le cloisteáil ar dtús, ansin thosaigh locháin á leathadh féin in áiteanna logánacha sa talamh. In achar an-ghearr bhí an t-áitreabh uile faoi uisce. Bhí na coirp ar snámh ina muirchur ar dhromchla an uisce agus bhí na seithí, a bhíodh mar chlúdach ar na botháin tráth, scaipthe ar an bhfliuchras. Ar deireadh, ba loch críochnaithe é ionad an áitribh.

Bhí an uile ní ina thost go ceann tamaillín. Ansin chualathas gliogaireacht fhada go domhain faoin uisce, é ag eascairt as broinn na talún. I bhfaiteadh na súl, chúlaigh an t-uisce go hiomlán as, gan rian ná iarsma den chath a troideadh nó den áitreabh a bhíodh ann tráth, ar a dtugtaí Loch Reasca. Ní raibh tásc ná tuairisc ar an gCailleach ná ar Shobharthan féin in áit ar bith.

* * *

Rinne léithe leathan éin é féin a shíneadh agus d'eitil tríd an leathsholas nó gur thuirling sé ar an gclochar aolchloiche a bhreathnaíonn anuas ar Loch Reasca. Tá na sciatháin druidte air anois, é sásta seasamh agus breathnú anuas ar an talamh ghlas mhéith ar ar chuir Emlik agus a threibh fúthu ann tráth.

Iarfhocal

Tost. Loch Reasca go luath ar maidin. Tanú ag teacht ar an gceo a luíonn ar an áit, é á airgeadú féin faoi loinnir na gréine. Thíos faoin uige cheobhránach, tá an talamh mhéith breactha anseo is ansiúd leis na muca allta a tháinig i ndiaidh féaraigh.

Ar an laftán, taobh thuas den innilt fhéarach, tá corr éisc ina suí, agus gach a bhfuil ina timpeall faoina dearc. Breathnaíonn sí siar, amach thar chiumhais na hinnilte féaraí. Tá a n-áilleacht féin le maíomh ag glaise na Raithní agus ag corcracht an Fhraoigh ar a dtiteann súile an éin. Tháinig borradh faoina bhfás san áit inar scaipeadh a síolta.

Soir uaidh seo, tá liathacht na Boirne á hardú féin faoin ngrian, á bánú féin, nach mór, san áit ina dteagmhaíonn Sliabh an Mhóinín agus an Aill Bhuí dá chéile. Tá goirme na farraige le feiceáil ón mbarr. Í suaimhneach anois, an Fharraige — a racht faoi shrian. Amuigh, in áit éigin i bhfad i gcéin, b'fhéidir, tá Manannán á tochailt, á gríos, á réiteach chun a corpántacht a scaoileadh orthu siúd a bhfuil sé de dhánacht acu taisteal uirthi.

Déanann an chorr éisc na sciatháin a oscailt agus seolann í féin amach ón laftán. Tógann gluaiseacht fhada thruslógach na sciathán amach os cionn na hinnilte féaraí í. Tá an eitilt íseal — faoileoireacht fhéith faoin uige thanaí dhrúchtach atá ag géilleadh cheana féin do chumhacht na gréine. Tuirlingíonn sí ar charraig a scagann fraoch agus

raithneach óna chéile. Tá sí ar a suaimhneas anseo. Is í
cumhdaitheoir na háite seo í.

Amharcann súil na coirre éisc i ngach uile threo. Is den
chiorcal í, í gan tús, gan deireadh. Seo í Fáidh Loch an Réisc
— Loch Reasca. Istigh, taobh thiar dá súile, tá an Mhaitheas
agus an Solas. Ar bhás don chorr éisc, aimseofar súil eile
fós a fheighleoidh an Solas sin.

GAFA
le
Ré Ó Laighléis

Scéal tranglamach croíbhristeach an déagóra Eoin agus a thitim isteach in umar dorcha na handúile agus sa bhfodhomhain gránna dainséarach a ghabhann leis. Agus, chomh tábhachtach céanna le scéal Eoin féin, scéal na dtuismitheoirí: tá saol na máthar, Eithne, ina chíor thuathail. Í ar a dícheall glacadh leis go bhfuil a haonmhac faoi ghreim go daingean ag heroin. Ach is measa fós di é nuair a bhuailtear an dara ropadh uirthi – mídhílseacht a fir céile. Ní chuirtear fiacail san insint i gcás an scéil ríchumhachtaigh seo. É scríofa go fírinneach fíriciúil lom, ach ardscil agus íogaireacht ann go deireadh.

"Tá ábhar an leabhair seo conspóideach nua-aoiseach agus thar a bheith feiliúnach don aoisghrúpa … stíl sholéite inchredte."
An Dr. Gearóid Denvir, Moltóir an Oireachtais 1996

"Ó Laighléis deftly favours creating a dark side of urban life over sledge-hammering the reader with 'Just Say No' messages. The horrors of heroin addiction are revealed within the story itself and, thankfully, the author avoids any preachy commentary."
Educationmatters, *Ireland on Sunday*

"Gafa inhabits the world of well-off middle-class Dublin of the late 1990s with all its urban angst, moral decay, drug addiction, loneliness and teen attitudes and problems." **Patrick Brennan, *Irish Independent***

"Iarracht an-mhacánta é seo ar scríobh faoi cheann de mhórfhadhbanna shochaí an lae inniu … píosa scríbhneoireachta an-fhiúntach."
Máire Nic Mhaoláin, Moltóir an Oireachtais 1996

"It is a riveting story based on every parent's nightmare."
Lorna Siggins, *The Irish Times*

"Ré Ó Laighléis speaks the language of those for whom this will strike a familiar chord. If it makes people stop and think – as it undoubtedly will – it will have achieved more than all the anti-drug promotional campaigns we could ever begin to create." **News Focus, *The Mayo News***

"Ó Laighléis deftly walks that path between the fields of teenage and adult literature, resulting in a book that will have wide appeal for both young and older readers." **Paddy Kehoe, *RTÉ Guide***

"The book pulls no punches and there are no happy endings."
Colin Kerr, *News of the World*

BOLGCHAINT
AGUS SCÉALTA EILE
le
Ré Ó Laighléis

Úr, dúshlánach, ar an sprioc, mar a bhíonn an Laighléiseach i
gcónaí maidir le téamaí agus teanga. Arís eile, tá na paraiméadair
brúite amach ag máistir-scéalaí na déaglitríochta, díreach mar a
rinneadh le *Punk, Ecstasy, Gafa* agus mórán eile roimhe seo. Ré úr,
ábhar úr – ábhar do dhéagléitheoirí óga, a thugann aghaidh go
dána ar an saol is cás leo. An draíocht, an cheardaíocht, an
tsamhlaíocht, an ealaín – iad uile á n-úscadh as na leathanaigh
seo ina slaodanna sárscéalaíochta.

"*Tá sé déanta cheana ag an Laighléiseach le 'Punk', 'Ecstasy' agus
leabhair eile nach iad. Ach seo! Sáraíonn 'Bolgchaint' gach a bhfuil
scríofa aige do dhéagóirí óga. Ní fhéadfaí dul thairis mar ábhar
d'ardranganna na mbunscoileanna lán-Ghaeilge agus do ranganna ar
an dara leibhéal suas go Teastas Sóisearach. Sárscéalaí agus an prós
uaidh dá réir. Dúshlánach mealltach snasta.*"

Mait Ó Brádaigh,
Príomhoide, Gaelscoil de hÍde

"*Tá tuiscint sainiúil agus bá as an ngnáth ag Ré Ó Laighléis le
riachtanais téamacha agus teanga an déagléitheora óig. Scéalta den
chéad scoth ar an uile bhealach iad seo, a bhfuil substaint agus téagar
iontu, dúshlán agus síneadh, agus, thar rud ar bith eile, tá gné
ríthábhachtach an taitnimh go smior iontu.*"

An Dr. Aedín Nic Íomhair,
Saineolaí Léitheoireachta, NARA, USA

GOIMH
AGUS SCÉALTA EILE
le
Ré Ó Laighléis

An ciníochas in Éirinn agus go hidirnáisiúnta is cúlbhrat do na scéalta sainiúla seo. Idir shamhlaíocht agus chruthaitheachas den scoth á sníomh go máistriúil ag Ré Ó Laighléis i gcur an chnuasaigh íolbhristigh seo inár láthair. Ní hann don déagóir ná don léitheoir fásta nach rachaidh idir thábhacht agus chumhacht agus chomhaimsearachas na scéalta i gcion go mór éifeachtach air. An dul go croí na ceiste ar bhealach stóinsithe fírinneach cumasach is saintréith den chnuasach ceannródaíoch seo.

"Éiríonn leis an údar dúshlán na léitheoirí a thabhairt ar bhealach ríspéisiúil maidir lena ndearcadh ar an gciníochas ... Fáiltím go mór roimh an saothar seo toisc go ndíríonn sé ar aoisghrúpa [déagóirí] a chruthóidh dearcadh shochaí na tíre seo i leith an chiníochais amach anseo. Éiríonn leis an údar paraiméadair na tuisceana i dtaobh an chiníochais a bhrú amach."

Seosamh Mac Donncha, Cathaoirleach,
An Clár Náisiúnta Feasachta um Fhrith-Chiníochas

"Snastacht, foirfeacht, máistriúlacht ó thús deireadh."

Austin Vaughan,
Leabharlannaí an Chontae, Co. Mhaigh Eo

"Ní heol dom leabhar níos feiliúnaí ná níos cumasaí ar an ábhar a bheith ar fáil don déagóir – Gaeilge nó Béarla – ná 'Goimh agus scéalta eile'. Ábhar iontach comhaimseartha, a bheadh thar a bheith feiliúnach do na meánscoileanna idir Theastas Sóisearach agus Idirbhliain agus Ardteist."

Niall Ó Murchadha,
Iar-Uachtarán Ghaelscoileanna

LITIR Ó MO MHÁTHAIR ALTRAMA AGUS SCÉALTA EILE
le
Fionntán de Brún

Cnuasach úr dúshlánach ag gearrscéalaí óg Feirsteach a thugann saothrú an genre seo ar aghaidh píosa eile fós. Deich gcinn de ghearrscéalta a bhfuil idir theanga agus cheardaíocht shnasta ghalánta oilte iontu agus ina dtugann an Brúnach aghaidh ar théamaí atá cathrach agus uilíoch. Cothaítear an síol chun bláthaithe i ngach aon cheann de na scéalta ar bhealach atá íogair mothálach géarchúiseach agus léiríonn an t-údar tuiscint ar shícé an duine agus ar chastachtaí na sícé ar bhealach atá neamhghnách sa litríocht cuma cén teanga ina saothraítear í. Is sár-ghearrscéalaí é a thuigeann ón nádúr spriocanna an chomhrá agus na hinseoireachta agus a bhfuil an coibhneas ceart aimsithe aige eatarthu beirt.

Is iad teidil scéalta an chnuasaigh ná:
    Litir ó mo Mháthair Altrama
    Mar a Fuair an tÚdar Bás
    Kango
    An Cumann Drámaíochta
    Na Déithe Bréige
    Scáthchuairt
    An Díseartach
    Ag Caint leis na Mairbh
    Oilibhéar Puirséil
    I Láthair na hUaire

LE TEACHT Ó MHÓINÍN
i bhFÓMHAR 2005

ÁR i gCOR CHOMRUA
le
Ré Ó Laighléis

Saothar leanstanach ar *Sceoin sa Bhoireann*

An bhliain 1317 AD. É 1,500 bliain i ndiaidh do Shobharthan Fáidh cath na Maitheasa a throid in aghaidh an Oilc ar bhruach Loch Reasca. Tá a spiorad insealbhaithe i gcorp an daill, Benildus, seanmhanach a bhfuil bua na tairngreachta bronnta air agus atá, mar a bhí Sobharthan roimhe, idir a bheith beannaithe agus ualaithe ag an mbua céanna. Tá Benildus ar dhuine de chomhluadar na mbráithre sa mhainistir Cistéirseach i gCor Chomrua ar shleasa áille na Boirne.

An tOlc féin insealbhaithe i bhFeardorcha, oifigeach i bhfórsaí Dhonncha Rua Uí Bhriain. Tá arm Dhonncha agus arm a cholceathair, Diarmaid, ag déanamh ar cheantar na mainistreach chun aghaidh a thabhairt ar a chéile don uair dheireanach sa chogadh fada fuilteach atá á throid ag an dá thaobh de Chlann Uí Bhriain in aghaidh a chéile. Agus déanfar slad, agus déanfar ár agus déanfar sléacht de chineál nach bhfacthas riamh cheana.

É seo uile mar chúlbhrat ar an ngrá rúnda atá idir Iarla Ó Briain, mac Dhiarmada, agus a leannán Sorcha, iníon le Mathún – duine de na taoisigh ar thaobh Dhonncha de chlann na mBrianach. An bheirt óg lán de phaisean dá chéile, lán de dhóchas, ach lán d'fhaitíos leis roimh a bhfuil le teacht. Tá a bhfuil i ndán dóibh á riar ag Maitheas agus Olc. Scéal grá, scéal uafar, scéal dorcha ina chinntear gach uile tharlúint ag an rud aduain.

AR FÁIL TRÍ'N bPOST Ó MhÓINÍN

Tá na leabhair seo leanas ar fáil trí'n bpost ó MhÓINÍN ar na praghasanna thíosluaite (móide costas an phostais)* ach an fhoirm ordaithe ar chúl an leabhair seo a líonadh agus a sheoladh chuig MÓINÍN, Loch Reasca, Baile Uí Bheacháin [BALLYVAUGHAN], Co. an Chláir, nó glaoch ar (065) 707 7256, nó trí'n ríomhphost ag moinin@eircom.net.

Litir ó mo Mháthair Altrama agus scéalta eile   €8 agus postas
(ISBN 0-9532777-7-1)

Sceoin sa Bhoireann   €10 agus postas
(ISBN 0-9532777-6-3)

Goimh agus scéalta eile   €7 agus postas
(ISBN 0-9532777-4-7)

Bolgchaint agus scéalta eile   €7 agus postas
(ISBN 0-9532777-3-9)

Gafa   €8 agus postas
(ISBN 0-9532777-5-5)

Terror on the Burren   €8.50 agus postas
(ISBN 0-9532777-0-4)

Hooked   €7.50 agus postas
(ISBN 0-9532777-1-2)

Heart of Burren Stone   €10 agus postas
(ISBN 0-9532777-2-0)

Ecstasy and Other Stories [Seanstoc srianta]   €5 agus postas

* Lacáiste 10% do scoileanna ar orduithe os cionn 20 cóip.

AR FÁIL TRÍ'N bPOST Ó MhÓINÍN

FOIRM ORDAITHE

Teideal *Title*	Praghas* *Price**	Líon Cóipeanna *No. of Copies*
Litir ó mo Mháthair Altrama *agus scéalta eile*	€8	[　]
Sceoin sa Bhoireann	€10	[　]
Goimh agus scéalta eile	€7	[　]
Bolgchaint agus scéalta eile	€7	[　]
Gafa	€8	[　]
Terror on the Burren	€8.50	[　]
Hooked	€7.50	[　]
Heart of Burren Stone	€10	[　]
Ecstasy and other stories	€5	[　]

* P&P le n-íoc anuas ar na praghasanna thuas

Lúide 10% do scoileanna ar orduithe os cionn 20 cóip.

AINM　　　　　_____

SEOLADH　　_____

　　　　　　　_____

　　　　　　　_____

FÓN/FACS　　_____

IOMLÁN ÍOCAÍOCHTA (IN EURO AMHÁIN) €_____ (*le líonadh*)

Seiceanna/orduithe poist/orduithe airgid chuig:
MÓINÍN
Loch Reasca, Baile Uí Bheacháin [BALLYVAUGHAN]
Co. an Chláir, Éire
Fón/Facs: (065) 707 7256　Ríomhphost: moinin@eircom.net
www.moinin.ie